사고력 수학 소마가 개발한 연산학습의 새 기준!!

소마의 **마술같은 원리셈**

소마셈

KB129335

 수학이 즐거워지는 특별한 수학교실
소마에서 개발한 연산교재 소마셈 **소마셈**

2002년 대치소마 개원 이후로 끊임없는 교재 연구와 교구의 개발은 소마의 자랑이자 자부심입니다. 교구, 게임, 토론 등의 다양한 활동식 수업으로 스스로 문제해결능력을 키우고, 아이들이 수학에 대한 흥미와 자신감을 가질 수 있도록 차별성 있는 수업을 해 온 소마에서 연산 학습의 새로운 패러다임을 제시합니다.

연산 교육의 현실

연산 교육의 가장 큰 폐해는 '초등 고학년 때 연산이 빠르지 않으면 고생한다.'는 기존 연산 학습지의 왜곡된 마케팅으로 인해 단순 반복을 통한 기계적 연산을 강조하는 것입니다. 하지만, 기계적 반복을 위주로 하는 연산은 개념과 원리가 빠진 연산 학습으로써 아이들이 수학을 싫어하게 만들 뿐 아니라 사고의 확장을 막는 학습방법입니다.

초등수학 교과과정과 연산

초등교육과정에서는 문자와 기호를 사용하지 않고 말로 풀어서 연산의 개념과 원리를 설명하다가 중등교육과정부터 문자와 기호를 사용합니다. 교과서를 살펴보면 모든 연산의 도입에 원리가 잘 설명되어 있습니다. 요즘 현실에서는 연산의 원리를 묻는 서술형 문제도 많이 출제되고 있는데 연산은 연습이 우선이라는 인식이 아직도 지배적입니다.

연산 학습은 어떻게?

연산 교육은 별도로 떼어내어 추상적인 숫자나 기호만 가지고 다뤄서는 절대로 안됩니다. 구체물을 가지고 생각하고 이해한 후, 연산 연습을 하는 것이 필요합니다. 또한, 속도보다 정확성을 위주로 학습하여 실수를 극복할 수 있는 좋은 습관을 갖추는 데에 초점을 맞춰야 합니다.

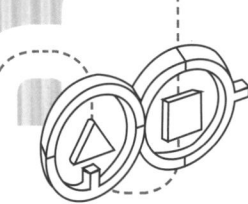소마셈 연산학습 방법

 10이 넘는 한 자리 덧셈 **구체물을 통한 개념의 이해**

덧셈과 뺄셈의 기본은 수를 세는 데에 있습니다. 8+4는 8에서 1씩 4번을 더 센 것이라는 개념이 중요합니다. 10의 보수를 이용한 받아 올림을 생각하면 8+4는 (8+2)+2지만 연산 공부를 시작할 때에는 덧셈의 기본 개념에 충실한 것이 좋습니다. 이 책은 구체물을 통해 개념을 이해할 수 있도록 구체적인 예를 든 연산 문제로 구성하였습니다.

 가로셈 **가로셈을 통한 수에 대한 사고력 기르기**

세로셈이 잘못된 방법은 아니지만 연산의 원리는 잊고 받아 올림한 숫자는 어디에 적어야 하는지만을 기억하여 마치 공식처럼 풀게 합니다. 기계적으로 반복하는 연습은 생각없이 연산을 하게 만듭니다. 가로셈을 통해 원리를 생각하고 수를 쪼개고 붙이는 등의 과정에서 키워질 수 있는 수에 대한 사고력도 매우 중요합니다.

 곱셈구구 **곱셈도 개념 이해를 바탕으로**

곱셈구구는 암기에만 초점을 맞추면 부작용이 큽니다. 곱셈은 덧셈을 압축한 것이라는 원리를 이해하며 구구단을 외움으로써 연산을 빨리 할 수 있다는 것을 알게 해야 합니다. 곱셈구구를 외우는 것도 중요하지만 곱셈의 의미를 정확하게 아는 것이 더 중요합니다. 4×3을 할 줄 아는 학생이 두 자리 곱하기 한 자리는 안 배워서 45×3을 못 한다고 말하는 일은 없도록 해야 합니다.

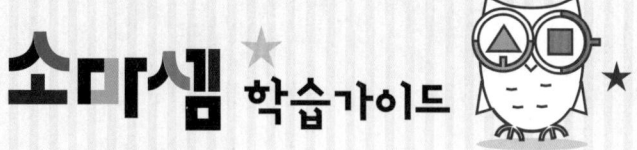

소마샘 학습가이드

Ⓚ단계 (5, 6, 7세) • 연산을 시작하는 단계

뛰어세기, 거꾸로 뛰어세기를 통해 수의 연속한 성질(linearity)을 이해하고 덧셈, 뺄셈을 공부합니다. 각 권의 호흡은 짧지만 일관성 있는 접근으로 자연스럽게 나선형식 반복학습의 효과가 있도록 하였습니다.

학습대상 : 연산을 시작하는 아이와 한 자리 수 덧셈을 구체물(손가락 등)을 이용하여 해결하는 아이
학습목표 : 수와 연산의 튼튼한 기초 만들기

Ⓟ단계 (7세, 1학년) • 받아올림이 있는 덧셈, 뺄셈을 배울 준비를 하는 단계

5, 6, 9 뛰어세기를 공부하면서 10을 이용한 더하기, 빼기의 편리함을 알도록 한 후, 가르기와 모으기의 집중학습으로 보수 익히기, 10의 보수를 이용한 덧셈, 뺄셈의 원리를 공부합니다.

학습대상 : 받아올림이 없는 한 자리 수의 덧셈을 할 줄 아는 학생
학습목표 : 받아올림이 있는 연산의 토대 만들기

Ⓐ단계 (1학년) • 초등학교 1학년 교과과정 연산

받아올림이 있는 한 자리 수의 덧셈, 뺄셈은 연산 전체에 매우 중요한 단계입니다. 원리를 정확하게 알고 A1에서 A4까지 총 4권에서 한 자리 수의 연산을 다양한 과정으로 연습하도록 하였습니다.

학습대상 : 초등학교 1학년 수학교과과정을 공부하는 학생
학습목표 : 10의 보수를 이용한 받아올림이 있는 덧셈, 뺄셈

Ⓑ단계 (2학년) • 초등학교 2학년 교과과정 연산

두 자리, 세 자리 수의 연산을 다룬 후 곱셈, 나눗셈을 다루는 과정에서 곱셈구구의 암기를 확인하기보다는 곱셈구구를 외우는데 도움이 되고, 곱셈, 나눗셈의 원리를 확장하여 사고할 수 있도록 하는데 초점을 맞추었습니다.

학습대상 : 초등학교 2학년 수학교과과정을 공부하는 학생
학습목표 : 덧셈, 뺄셈의 완성 / 곱셈, 나눗셈의 원리를 정확하게 알고 개념 확장

Ⓒ단계 (3학년) • 초등학교 3, 4학년 교과과정 연산

B단계까지의 소마샘은 다양한 문제를 통해서 학생들이 즐겁게 연산을 공부하고 원리를 정확하게 알게 하는데 초점을 맞추었다면, C단계는 3학년 과정의 큰 수의 연산과 4학년 과정의 혼합 계산, 괄호를 사용한 식 등, 필수 연산의 연습을 충실히 할 수 있도록 하였습니다.

학습대상 : 초등학교 3, 4학년 수학교과과정을 공부하는 학생
학습목표 : 큰 수의 곱셈과 나눗셈, 혼합 계산

Ⓓ단계 (4학년) • 초등학교 4, 5학년 교과과정 연산

분모가 같은 분수의 덧셈과 뺄셈, 소수의 덧셈과 뺄셈을 공부하여 초등 4학년 과정 연산을 마무리하고 초등 5학년 연산과정에서 가장 중요한 약수와 배수, 분모가 다른 분수의 덧셈과 뺄셈을 충분히 익힐 수 있도록 하였습니다.

학습대상 : 초등학교 4, 5학년 수학교과과정을 공부하는 학생
학습목표 : 분모가 같은 분수의 덧셈과 뺄셈, 소수의 덧셈과 뺄셈, 분모가 다른 분수의 덧셈과 뺄셈

소마셈 단계별 학습내용

구성과 특징

1

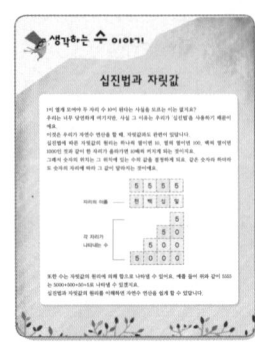

수 이야기

생활 속의 수 이야기를 통해 수와 연산의 이해를 돕습니다. 수의 역사나 재미있는 연산 문제를 접하면서 수학이 재미있는 공부가 되도록 합니다.

2

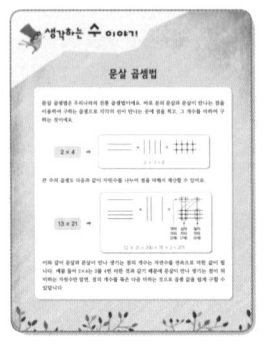

원리

가장 기본적인 연산의 원리를 소개합니다. 이때 다양한 방법을 제시하되 가장 효과적인 방법을 적용할 수 있도록 단계적으로 접근하여 충분한 원리의 이해를 돕습니다.

③ 연습

원리의 이해를 바탕으로 연산이 익숙해 지도록 연습합니다. 먼저 반복적인 연산 연습 후에 나아가 배운 원리를 활용하여 확장된 문제를 해결합니다.

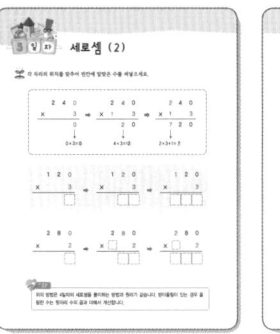
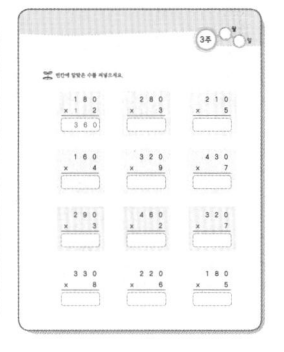

④ Drill (보충학습)

주차별 주제에 대한 연습이 더 필요한 경우 보충학습을 활용합니다.

 TIP 연산과정의 확인이 필수적인 주제는 Drill 의 양을 2배로 담았습니다.

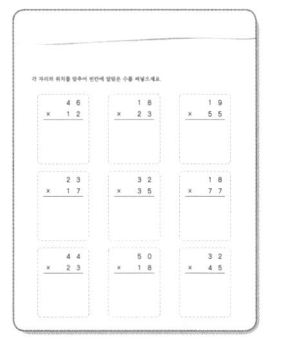

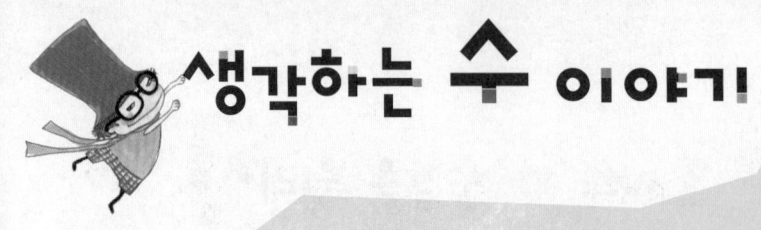
생각하는 수 이야기

네이피어 곱셈법

네이피어 곱셈은 17세기 스코틀랜드의 수학자 존 네이피어(John Napier)가 네이피어 막대를 발명하여 어려운 곱셈을 간단히 계산할 수 있도록 만든 것이에요.
네이피어 막대에는 곱셈표가 새겨져 있어서 사각형 안의 왼쪽 아래 선에 맞추어 더하여 계산을 해요.

〈네이피어 곱셈 막대〉

하지만 네이피어 곱셈 막대가 없더라도 구구단을 외울 수 있다면 네이피어 곱셈법을 이용해 곱셈을 쉽게 계산할 수 있답니다.

다음과 같은 방법으로 곱셈을 해 보세요.
① 사각형 안에 곱한 수를 각각 씁니다.
② 대각선 방향으로 수를 더합니다. (단, 더해서 10이 넘으면 받아올림을 합니다.)

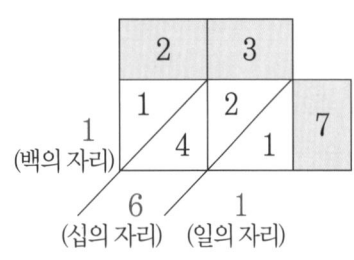

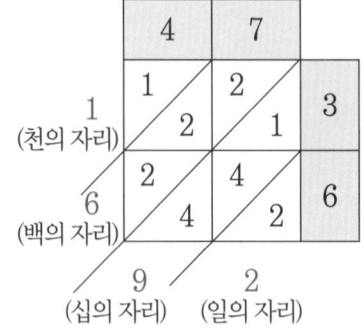

23 × 7 = 161

47 × 36 = 1692

위와 같은 방법을 이용하면 큰 수의 곱셈도 간단히 계산할 수 있답니다.

소마셈 C4 – 1주차

(세 자리 수) ÷ (한 자리 수) (1)

세로셈 (1)

 각 자리의 위치를 맞추어 빈칸에 알맞은 수를 써넣으세요.

$$
\begin{array}{r}
3\,)\overline{195}
\end{array}
\Rightarrow
\begin{array}{r}
6 \\
3\,)\overline{195} \\
18 \\
\hline
15
\end{array}
\Rightarrow
\begin{array}{r}
65 \cdots 몫 \\
3\,)\overline{195} \\
18 \\
\hline
15 \\
15 \\
\hline
0
\end{array}
$$

$$4\,)\overline{152} \Rightarrow 4\,)\overline{152} \Rightarrow 4\,)\overline{152}$$

$$5\,)\overline{240} \Rightarrow 5\,)\overline{240} \Rightarrow 5\,)\overline{240}$$

빈칸에 알맞은 수를 써넣으세요.

```
        2   8
    ┌─────────
  5 ) 1  4  0
      1  0
      ─────────
         4  0
         4  0
         ─────────
            0
```

```
    ┌─────────
  8 ) 1  5  2
```

```
    ┌─────────
  2 ) 1  7  4
```

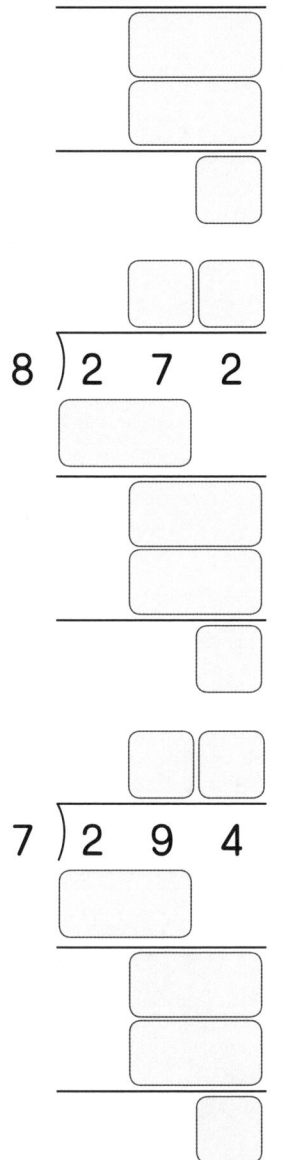

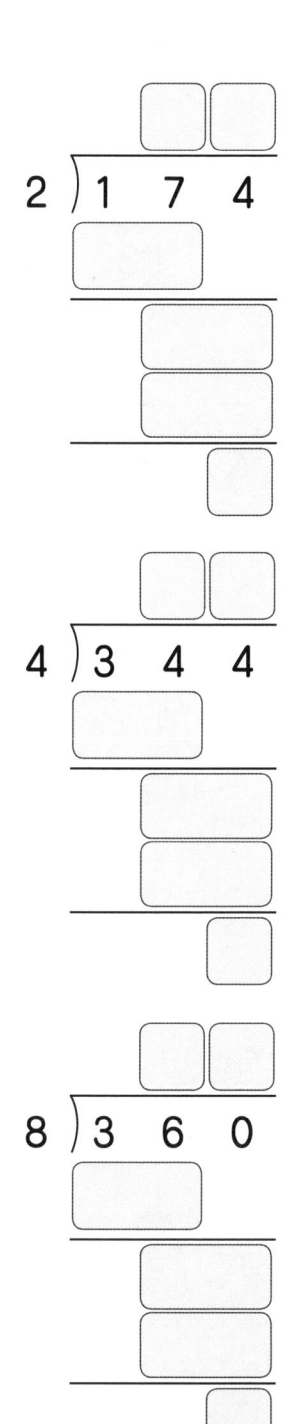

```
    ┌─────────
  4 ) 2  5  6
```

```
    ┌─────────
  3 ) 2  5  5
```

빈칸에 알맞은 수를 써넣으세요.

$$
\begin{array}{r}
\boxed{7}\,\boxed{4} \\
5\,)\overline{3\ 7\ 0} \\
\boxed{3\ 5} \\
\hline
\boxed{2\ 0} \\
\boxed{2\ 0} \\
\hline
\boxed{0}
\end{array}
$$

$$
6\,)\overline{2\ 3\ 4}
$$

$$
4\,)\overline{2\ 9\ 6}
$$

$$
7\,)\overline{5\ 8\ 8}
$$

$$
9\,)\overline{5\ 3\ 1}
$$

$$
8\,)\overline{3\ 6\ 8}
$$

$$
4\,)\overline{1\ 7\ 2}
$$

$$
3\,)\overline{1\ 7\ 7}
$$

$$
4\,)\overline{3\ 6\ 4}
$$

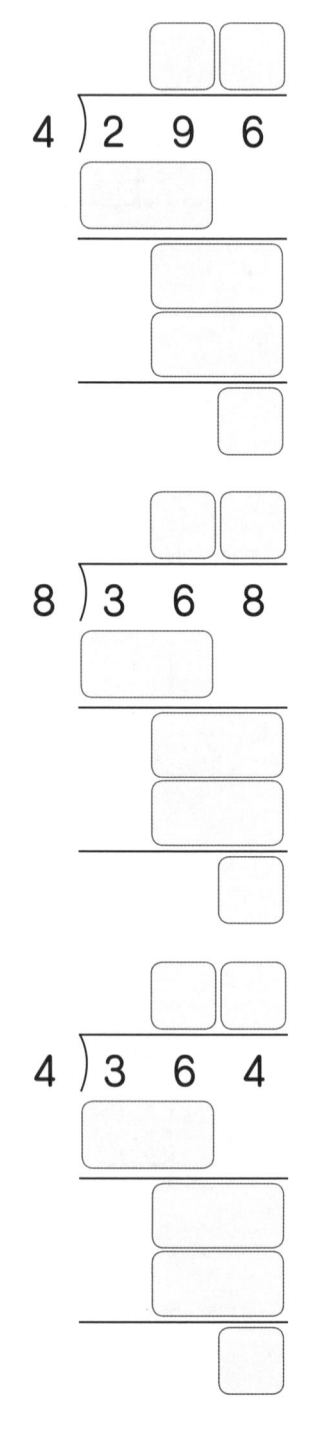

세로셈 (2)

 각 자리의 위치를 맞추어 빈칸에 알맞은 수를 써넣으세요.

$$
\begin{array}{r}
6\ 5 \\
3\,\overline{)1\ 9\ 5} \\
1\ 8 \\
\hline
1\ 5 \\
1\ 5 \\
\hline
0
\end{array}
$$

$$2\,\overline{)1\ 5\ 8}$$

$$4\,\overline{)3\ 2\ 8}$$

$$5\,\overline{)3\ 7\ 5}$$

$$3\,\overline{)2\ 2\ 2}$$

$$5\,\overline{)4\ 1\ 0}$$

$$6\,\overline{)2\ 7\ 6}$$

$$7\,\overline{)5\ 1\ 1}$$

$$3\,\overline{)2\ 2\ 8}$$

각 자리의 위치를 맞추어 빈칸에 알맞은 수를 써넣으세요.

```
        4 4
5 ) 2 2 0
    2 0
    2 0
    2 0
        0
```

```
3 ) 1 4 1
```

```
4 ) 3 9 6
```

```
6 ) 2 8 2
```

```
8 ) 4 7 2
```

```
7 ) 6 0 2
```

```
5 ) 3 5 5
```

```
7 ) 3 1 5
```

```
6 ) 2 0 4
```

잘못된 식

🌱 다음과 같이 계산이 잘못된 곳을 찾아 표시하고, 답을 바르게 고쳐 보세요.

```
      6 3̸
   ┌──────
 3 )1 9 5
   1 8
   ─────
     1̸ 0̸
     1̸ 0̸
   ─────
        0
```

➡

```
      6 5
   ┌──────
 3 )1 9 5
   1 8
   ─────
     1 5
     1 5
   ─────
        0
```

```
      4 0 7
   ┌──────
 5 )2 3 5
   2 0
   ─────
     3 5
     3 5
   ─────
        0
```

➡

```
      5 9
   ┌──────
 2 )1 0 8
   1 0
   ─────
     1 8
     1 8
   ─────
        0
```

➡

계산이 잘못된 곳을 찾아 표시하고, 답을 바르게 고쳐 보세요.

```
      3 6
7 ) 2 5 9
    2 1
   ─────
      4 9
      4 2
   ─────
        7
```

➡

```
      4 6
8 ) 3 2 8
    3 2
   ─────
      4 8
      4 8
   ─────
        0
```

➡

```
    2 0 4
6 ) 1 4 4
    1 2
   ─────
      2 4
      2 4
   ─────
        0
```

➡

나눗셈 퍼즐

 나눗셈을 하여 몫이 같은 것끼리 선으로 이어보세요.

154 ÷ 2 = 77 •

328 ÷ 8 =

400 ÷ 5 =

240 ÷ 3 =

266 ÷ 7 =

• 231 ÷ 3 = 77

246 ÷ 6 =

152 ÷ 4 =

252 ÷ 9 =

119 ÷ 7 =

136 ÷ 8 =

224 ÷ 8 =

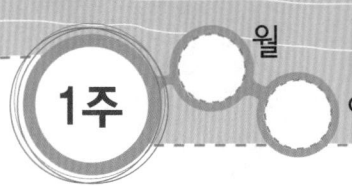

 올바른 계산 결과가 되도록 길을 그려 보세요.

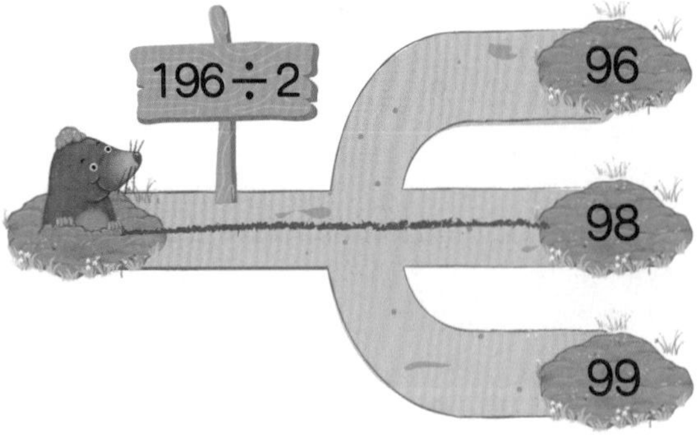

196÷2 96 / 98 / 99

282÷3 88 / 92 / 94

259÷7 37 / 38 / 39

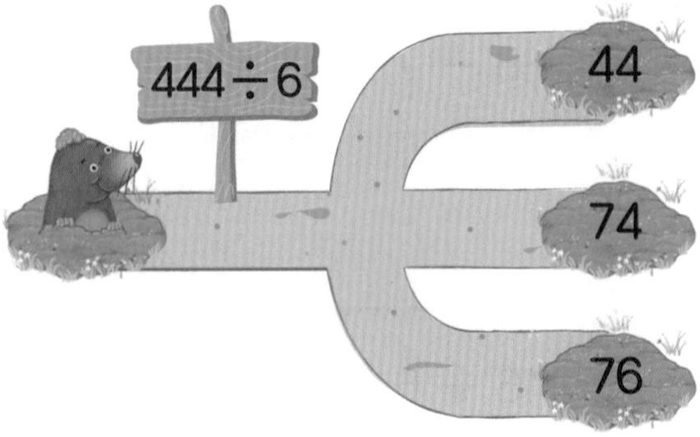

444÷6 44 / 74 / 76

504÷8 54 / 61 / 63

405÷9 45 / 50 / 54

문장제

 다음을 읽고 알맞은 나눗셈식을 쓰고, 답을 구하세요.

양계장에서 달걀 108개를 한 통에 4개씩 담았습니다. 달걀은 모두 몇 통에 담을 수 있을까요?

식 : 108 ÷ 4 = 27

 통

빨간 색종이와 파란 색종이가 각각 159장씩 있습니다. 이 색종이를 6장씩 한 묶음으로 만들면 모두 몇 묶음을 만들 수 있을까요?

식 :

 묶음

 다음을 읽고 알맞은 나눗셈식을 쓰고, 답을 구하세요.

과일가게에서 사과 112개를 한 봉지에 7개씩 담았습니다. 사과는 모두 몇 봉지에 담을
수 있을까요?

식 : _____

 봉지

현지는 구슬을 156개 가지고 있습니다. 동생에게 28개를 주고 남은 구슬을 8개씩 상
자에 담았습니다. 구슬은 모두 몇 상자에 담을 수 있을까요?

식 : _____

 상자

 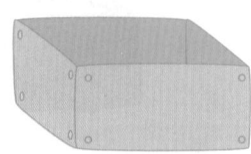

다음을 읽고 알맞은 나눗셈식을 쓰고, 답을 구하세요.

현수는 쿠키 130개를 만들었습니다. 그 중에서 10개를 먹고, 나머지는 친구 5명에게 똑같이 나누어 주려고 합니다. 한 사람에게 몇 개씩 나누어 주면 될까요?

식 :

개

소마 초등학교 3학년 학생은 144명입니다. 3학년 학생이 9줄로 서면, 한 줄에 몇 명씩 서게 될까요?

식 :

명

연필이 9타 있습니다. 한 사람에게 4자루씩 나누어 준다면 몇 명에게 나누어 줄 수 있을까요?

식 :

명

 다음을 읽고 알맞은 나눗셈식을 쓰고, 답을 구하세요.

공원에 남자 58명과 여자 68명이 있습니다. 공원에는 7명씩 앉을 수 있는 벤치가 있는데, 이 사람들이 모두 앉을 수 있습니다. 공원에 있는 벤치는 몇 개일까요?

식 :

개

검은 바둑돌과 흰 바둑돌이 각각 110개씩 있습니다. 이 바둑돌을 5개씩 주머니에 담으면 주머니 몇 개에 모두 담을 수 있을까요?

식 :

개

쪽수가 245쪽인 동화책이 있습니다. 수호가 일주일 동안 매일 같은 쪽수만큼 읽었더니 책을 다 읽었습니다. 수호는 매일 몇 쪽씩 읽었을까요?

식 :

쪽

소마셈 C4 - 2주차

(세 자리 수) ÷ (한 자리 수) (2)

세로셈 (1)

 각 자리의 위치를 맞추어 빈칸에 알맞은 수를 써넣으세요.

$$
6 \overline{)194}
\quad\Rightarrow\quad
\begin{array}{r}
3 \\
6\overline{)1\;9\;4} \\
1\;8 \\
\hline
1\;4 \\
\end{array}
\quad\Rightarrow\quad
\begin{array}{r}
3\;2 \;\cdots\cdots\; 몫 \\
6\overline{)1\;9\;4} \\
1\;8 \\
\hline
1\;4 \\
1\;2 \\
\hline
2 \;\cdots\cdots\; 나머지
\end{array}
$$

$$
3\overline{)1\;7\;3}
\quad\Rightarrow\quad
3\overline{)1\;7\;3}
\quad\Rightarrow\quad
3\overline{)1\;7\;3}
$$

$$
4\overline{)2\;3\;3}
\quad\Rightarrow\quad
4\overline{)2\;3\;3}
\quad\Rightarrow\quad
4\overline{)2\;3\;3}
$$

빈칸에 알맞은 수를 써넣으세요.

```
        3  2
   5 ) 1  6  2
      1  5
         1  2
         1  0
               2
```

```
          □  □
   3 ) 1  9  3
      □□□□□
      □□□□□
      □□□□□
            □
```

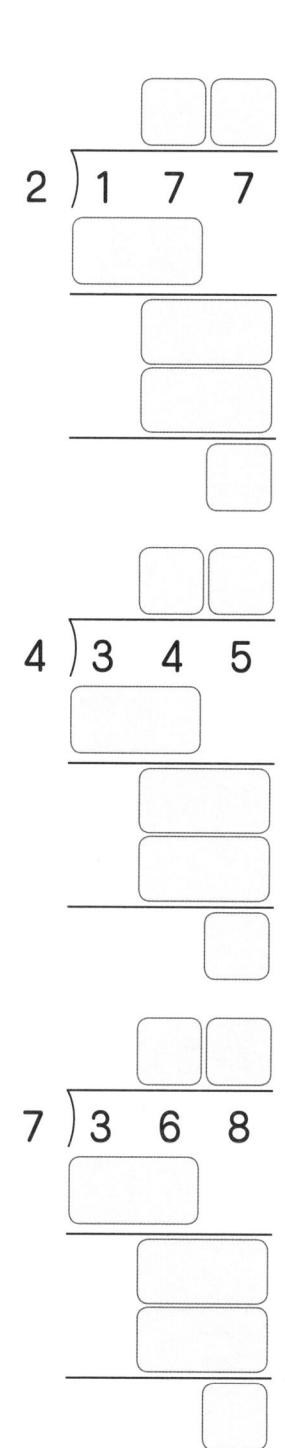

```
        □  □
   3 ) 2  5  7
     □□□□□
     □□□□□
     □□□□□
           □
```

```
         □  □
   4 ) 2  6  5
     □□□□□
     □□□□□
     □□□□□
           □
```

```
         □  □
   4 ) 3  4  5
     □□□□□
     □□□□□
     □□□□□
           □
```

```
        □  □
   6 ) 3  7  9
     □□□□□
     □□□□□
     □□□□□
           □
```

```
        □  □
   5 ) 2  3  9
     □□□□□
     □□□□□
     □□□□□
           □
```

```
        □  □
   7 ) 3  6  8
     □□□□□
     □□□□□
     □□□□□
           □
```

 빈칸에 알맞은 수를 써넣으세요.

```
      8 9
   ┌──────
 4 ) 3 5 7
     3 2
   ┌──────
       3 7
       3 6
   ┌──────
         1
```

```
      □ □
   ┌──────
 7 ) 2 4 7
   [      ]
   ┌──────
   [      ]
   [      ]
   ┌──────
       [ ]
```

```
      □ □
   ┌──────
 8 ) 3 4 0
   [      ]
   ┌──────
   [      ]
   [      ]
   ┌──────
       [ ]
```

```
      □ □
   ┌──────
 5 ) 2 4 7
   [      ]
   ┌──────
   [      ]
   [      ]
   ┌──────
       [ ]
```

```
      □ □
   ┌──────
 7 ) 5 9 8
   [      ]
   ┌──────
   [      ]
   [      ]
   ┌──────
       [ ]
```

```
      □ □
   ┌──────
 9 ) 3 2 5
   [      ]
   ┌──────
   [      ]
   [      ]
   ┌──────
       [ ]
```

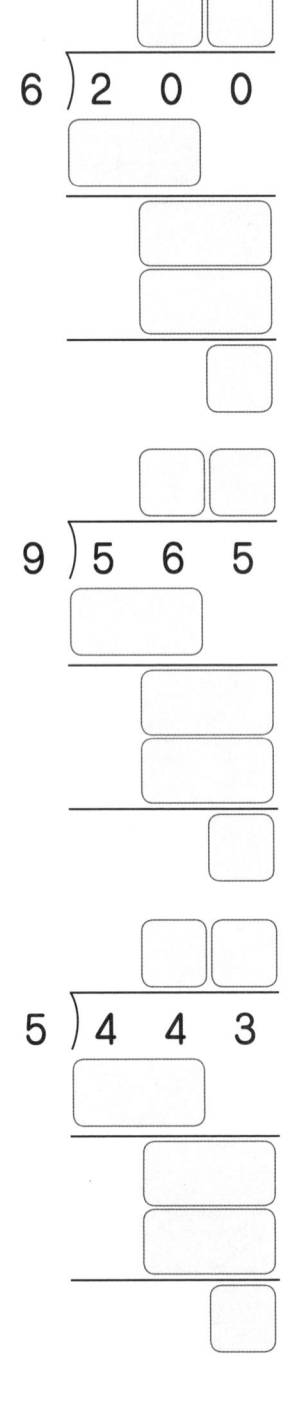

세로셈 (2)

 각 자리의 위치를 맞추어 빈칸에 알맞은 수를 써넣으세요.

```
        6 5
   3 ) 1 9 7
       1 8
       1 7
       1 5
           2
```

```
   2 ) 1 7 7
```

```
   4 ) 3 3 8
```

```
   5 ) 3 9 6
```

```
   3 ) 2 2 7
```

```
   5 ) 4 0 9
```

```
   6 ) 4 4 5
```

```
   7 ) 5 0 7
```

```
   3 ) 2 0 2
```

각 자리의 위치를 맞추어 빈칸에 알맞은 수를 써넣으세요.

```
      4 4
5 ) 2 2 2
    2 0
      2 2
      2 0
         2
```

```
3 ) 1 3 6
```

```
4 ) 2 9 7
```

```
6 ) 2 9 7
```

```
8 ) 2 8 6
```

```
7 ) 6 0 5
```

```
5 ) 3 6 6
```

```
7 ) 3 1 8
```

```
6 ) 2 8 7
```

나눗셈 퍼즐

 나눗셈을 하여 나머지가 같은 것끼리 선으로 이어보세요.

$199 \div 6 = 33 \cdots 1$	$314 \div 5 =$
$194 \div 5 =$	$515 \div 8 =$
$148 \div 5 =$	$177 \div 9 =$
$429 \div 8 =$	$218 \div 7 = 31 \cdots 1$
$167 \div 3 =$	$122 \div 4 =$
$174 \div 7 =$	$143 \div 6 =$

 나눗셈을 하고, 나머지로 알맞은 것을 따라 길을 그려 보세요.

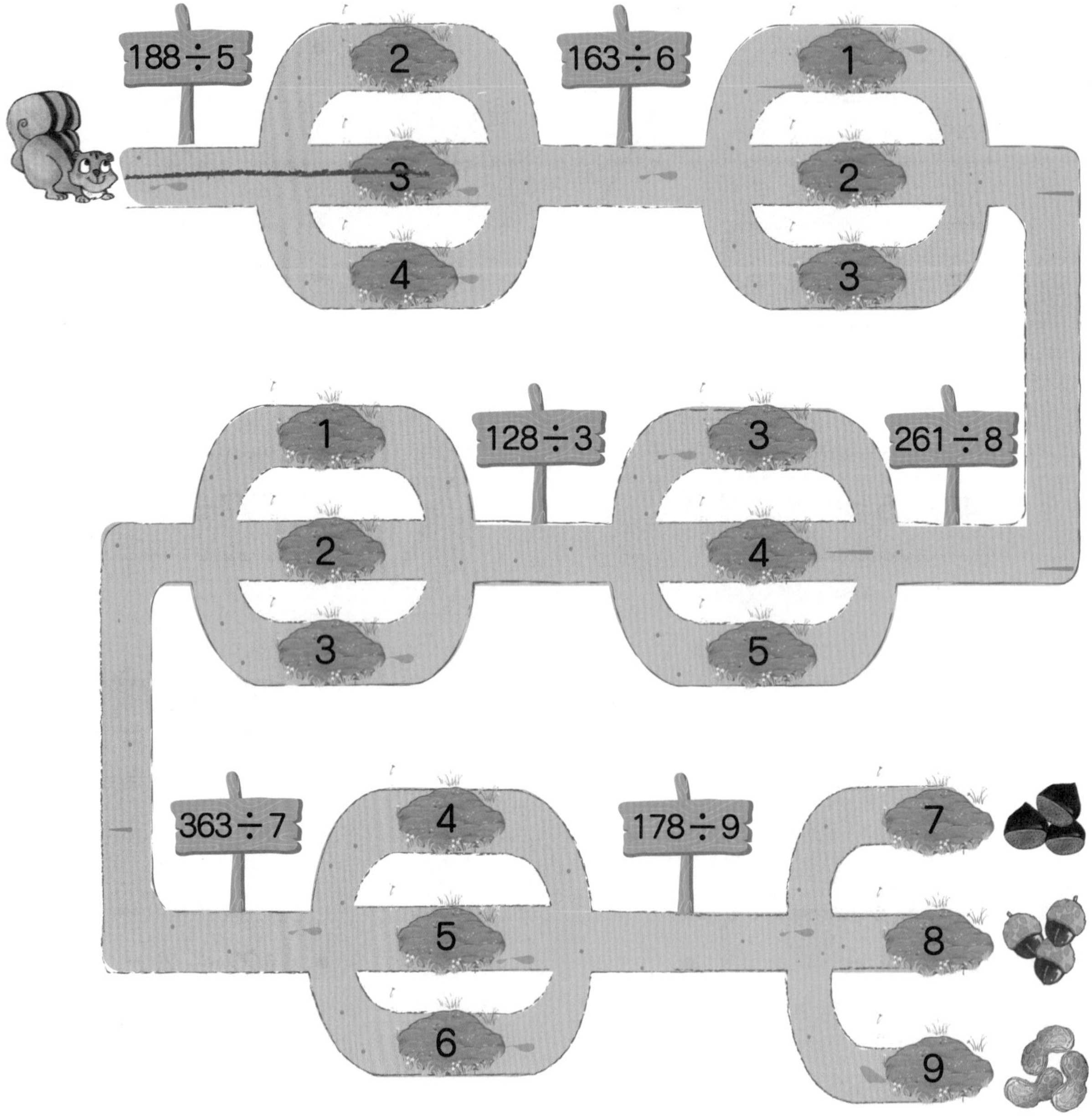

188÷5	2	163÷6	1
	3		2
	4		3

1	128÷3	3	261÷8
2		4	
3		5	

363÷7	4	178÷9	7
	5		8
	6		9

4일차 검산식

 나눗셈을 하고, 나눗셈의 계산 결과가 올바른지 검산하여 알아보세요.

```
      2 5
7 ) 1 7 5
    1 4
      3 5
      3 5
        0
```

검산 7 × 25 = 175

```
      2 5
7 ) 1 7 7
    1 4
      3 7
      3 5
        2
```

검산 7 × 25 + 2 = 177

```
5 ) 1 8 5
```

검산 5 × ☐ = ☐

```
4 ) 3 5 5
```

검산 4 × ☐ + ☐ = ☐

🌱 나눗셈을 하고, 나눗셈의 계산 결과가 올바른지 검산하여 알아보세요.

$4 \overline{)340}$

검산 4 × [ ] = [ ]

검산 7× [ ] + [ ] = [ ]

$3 \overline{)298}$

검산 3 × [ ] + [ ] = [ ]

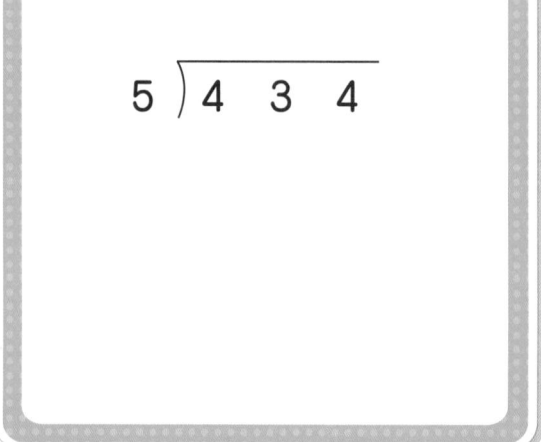

검산 5 × [ ] + [ ] = [ ]

검산식을 이용하여 □ 안에 알맞은 수를 써넣으세요.

110 ÷ 4 = 27 … 2 ⟶ 검산 4 × 27 + 2 = 110

□ ÷ 7 = 18 … 4 ⟶ 검산 7 × □ + □ = □

□ ÷ 6 = 17 … 1 ⟶ 검산 _____

□ ÷ 5 = 23 … 2 ⟶ 검산 _____

□ ÷ 9 = 24 … 5 ⟶ 검산 _____

□ ÷ 8 = 16 … 7 ⟶ 검산 _____

문장제

 다음을 읽고 알맞은 나눗셈식을 쓰고, 답을 구하세요.

영진이는 장미 213송이를 꽃병 한 개에 5송이씩 꽂으려고 합니다. 남은 것이 없이 모두 꽂으려면 적어도 꽃병은 몇 개가 필요할까요?

식 : $213 \div 5 = 42 \cdots 3$

 개

문구점에서 공책 256권을 한 줄에 9권씩 쌓아 놓았습니다. 쌓아 놓은 공책은 몇 줄이 되고, 남은 공책은 몇 권일까요?

식 :

 줄, 권

> TIP
>
> 위의 문제 213÷5=42…3에서 5송이씩 42병에 꽂으면 3송이가 남고, 남은 3송이도 꽃병에 꽂아야 하므로 꽃병은 적어도 42+1=43(개)가 필요합니다.

다음을 읽고 알맞은 나눗셈식을 쓰고, 답을 구하세요.

과수원에 참외 138개가 있었습니다. 그 중 8개는 썩어서 버리고, 남은 참외를 7개씩 봉지에 모두 담으려고 합니다. 적어도 몇 개의 봉지가 필요할까요?

식 :

 봉지

연필 12타를 5명의 학생에게 나누어 주었습니다. 학생들에게 나누어 주고 남은 연필은 몇 자루일까요?

식 :

 자루

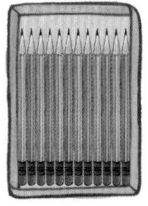

 다음을 읽고 알맞은 나눗셈식을 쓰고, 답을 구하세요.

현진이는 쿠키 139개를 만들었습니다. 자신과 6명의 친구가 똑같이 나누어 갖고, 남은 것은 동생에게 주려고 합니다. 동생에게 몇 개의 쿠키를 줄 수 있을까요?

식 :

개

연필이 25개씩 5묶음 있습니다. 이 연필을 학생들에게 6개씩 똑같이 나누어 주면 몇 명에게 나누어 줄 수 있고, 몇 개가 남을까요?

식 :

명, 개

2시 7분부터 7분마다 불이 반짝거리는 전구가 있습니다. 2시부터 4시까지 2시간 동안 전구에서 불이 몇 번 반짝거릴까요?

식 :

번

 다음을 읽고 알맞은 나눗셈식을 쓰고, 답을 구하세요.

소마초등학교 3학년 118명의 학생과 6명의 선생님이 소풍을 가서 모두 돗자리에 앉으려고 합니다. 5명씩 돗자리에 앉을 수 있다면 돗자리는 적어도 몇 개 필요할까요?

식 :

개

길이가 290cm인 색 테이프를 한 도막이 8cm가 되도록 잘라서 꽃을 만들려고 합니다. 꽃을 만들고 남은 색 테이프는 몇 cm일까요?

식 :

cm

민수는 송편 123개를 한 상자에 7개씩 나누어 담고 남은 것은 다 먹었습니다. 민수가 먹은 송편은 몇 개일까요?

식 :

개

소마셈 C4 - 3주차

규칙과 나눗셈

약속

 다음 도형이 나타내는 규칙에 맞게 계산해 보세요.

규칙 ㉠ ◎ ㉡ = (㉠ ÷ ㉡) + (㉠ × ㉡)

48 ◎ 2 = (48 ÷ 2) + (48 × 2)
　　　= 24 + 96
　　　= 120

51 ◎ 3 =

규칙 ㉠ ★ ㉡ = ㉡ ÷ ㉠ × 4

2 ★ 38 =

5 ★ 60 =

 **TIP**

앞에서부터 차례로 계산하고, (　)가 있는 경우에는 (　) 안을 가장 먼저 계산한 후 앞에서 부터 차례로 계산합니다.

다음 도형이 나타내는 규칙에 맞게 계산해 보세요.

규칙　ⓐ ◆ ⓑ = ⓐ ÷ ⓑ × 6

27 ◆ 3 =	48 ◆ 8 =

규칙　ⓐ ▣ ⓑ = (ⓐ × ⓑ) − (ⓐ ÷ ⓑ)

36 ▣ 4 =	55 ▣ 5 =

규칙　ⓐ ♥ ⓑ = (ⓐ ÷ ⓑ) + (ⓐ × 3)

52 ♥ 2 =	49 ♥ 7 =

화살표 약속

 화살표 규칙에 맞게 계산하여 빈칸에 알맞은 수를 써넣고, 어떤 규칙이 있는지 알아
보세요.

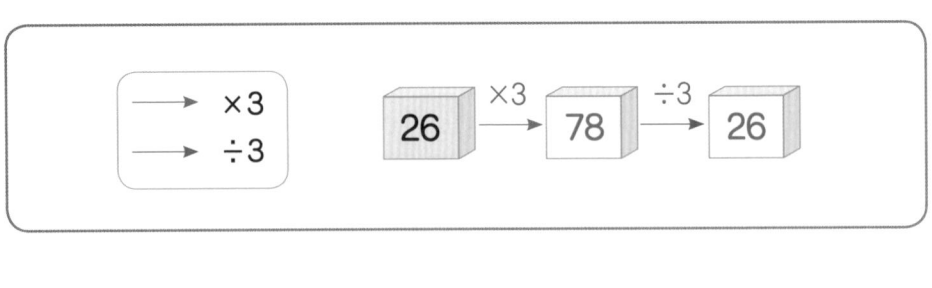

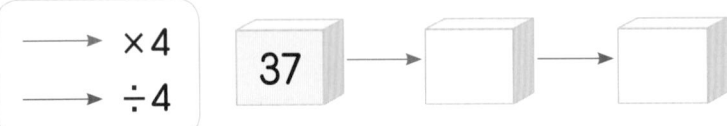

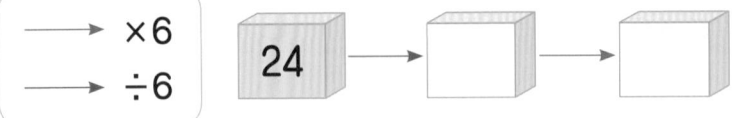

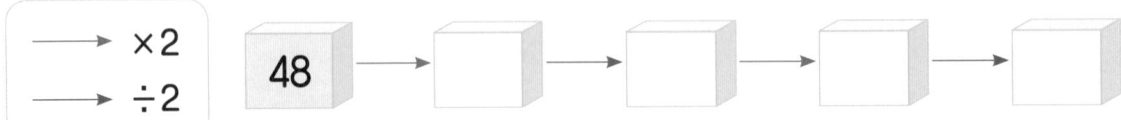

예를 들어 7×3÷3=7인 것과 같이 어떤 수에 같은 수를 곱하고, 나누면 다시 처음 수와 같아
짐을 알 수 있습니다.

화살표 규칙에 맞게 계산하여 빈칸에 알맞은 수를 써넣으세요.

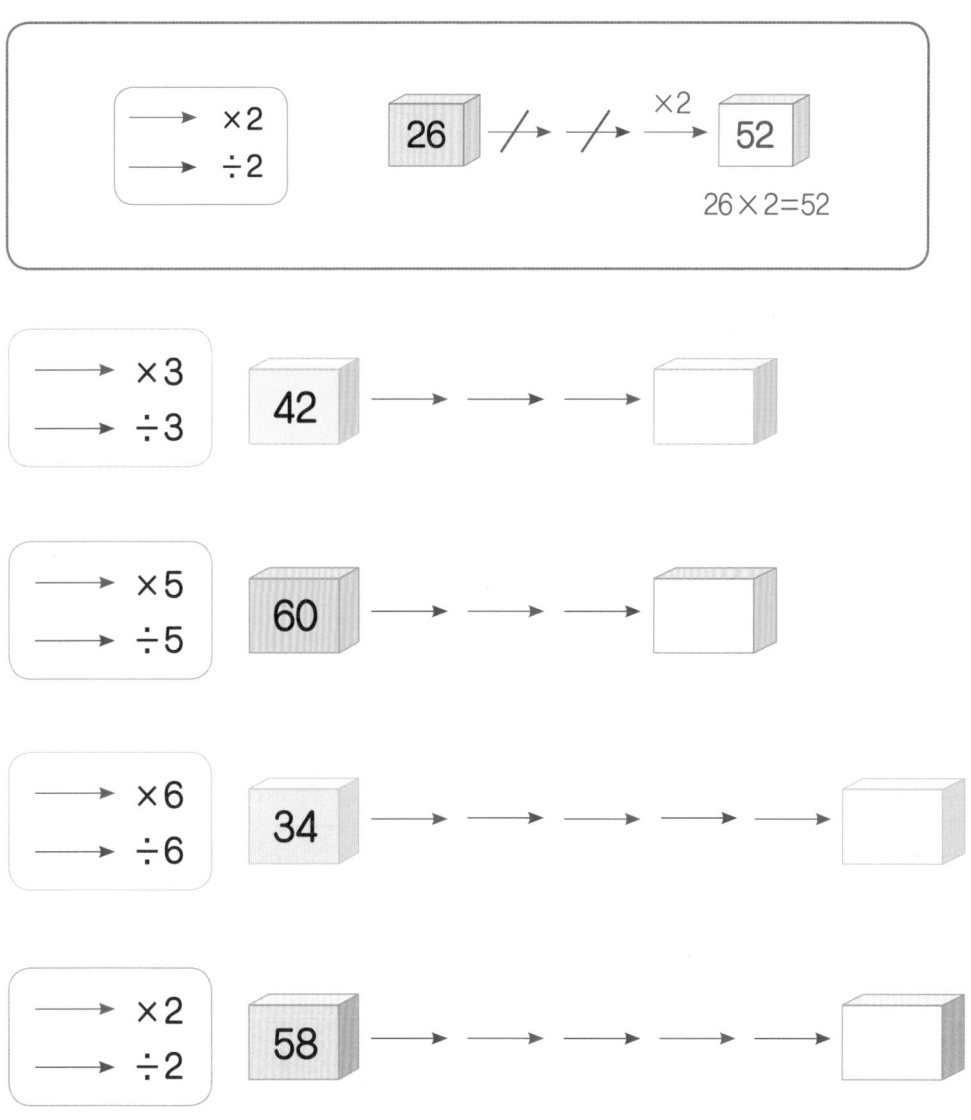

TIP

보기에서 26 × 2 ÷ 2 = 26이므로 빨간색 화살표와 파란색 화살표를 한 쌍 지우고 남은 화살표만 계산하면 결과값을 쉽게 구할 수 있습니다.

 화살표 규칙에 맞게 계산하여 빈칸에 알맞은 수를 써넣으세요.

$\longrightarrow \times 3$
$\longrightarrow \div 3$

38 $\xrightarrow{\times 3}$ ⫽ ⫽→ 114

38×3=114

$\longrightarrow \times 7$
$\longrightarrow \div 7$

63 $\longrightarrow \longrightarrow \longrightarrow$ ▢

$\longrightarrow \times 4$
$\longrightarrow \div 4$

59 $\longrightarrow \longrightarrow \longrightarrow \longrightarrow \longrightarrow$ ▢

$\longrightarrow \times 2$
$\longrightarrow \div 2$

84 $\longrightarrow \longrightarrow \longrightarrow \longrightarrow$ ▢

$\longrightarrow \times 8$
$\longrightarrow \div 8$

23 $\longrightarrow \longrightarrow \longrightarrow \longrightarrow \longrightarrow$ ▢

$\longrightarrow \times 3$
$\longrightarrow \div 3$

27 $\longrightarrow \longrightarrow \longrightarrow \longrightarrow$ ▢

저울산

 다음 양팔저울의 왼쪽에는 무게가 적힌 추가 있고, 오른쪽에는 무게가 같은 구슬이 놓여 있습니다. 양팔저울의 양쪽 무게가 같을 때, 구슬 한 개의 무게를 구해보세요.

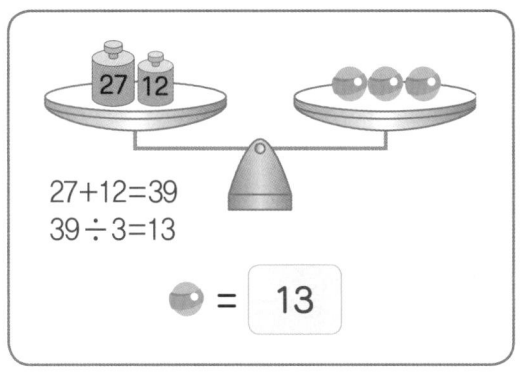

$27+12=39$
$39 \div 3=13$

= | 13 |

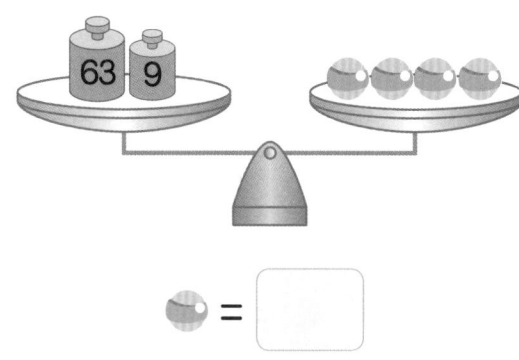

=

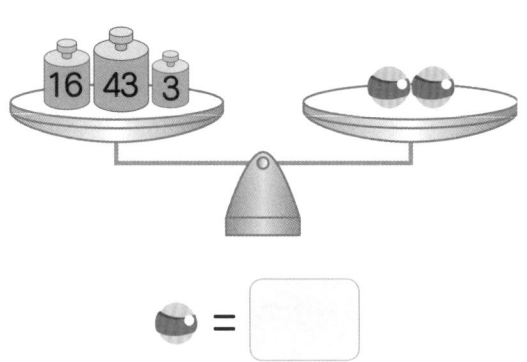

=

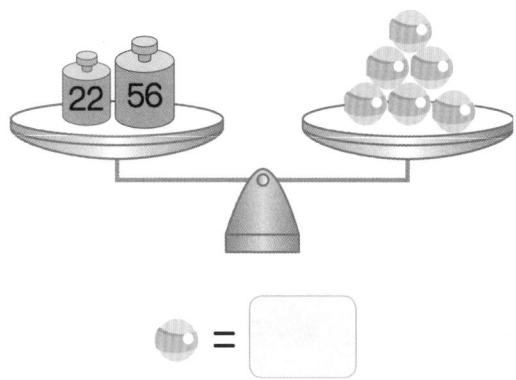

=

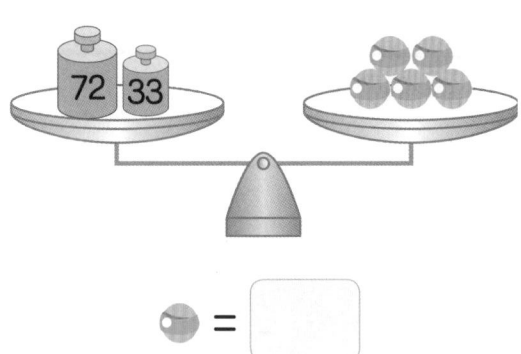

=

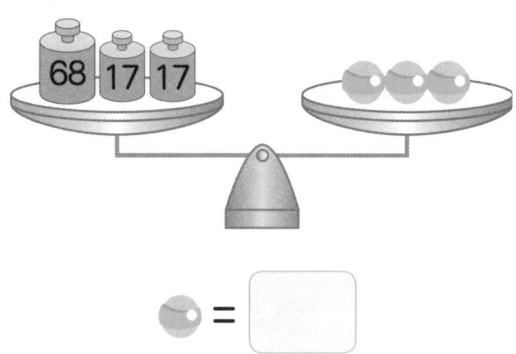

=

3주

다음 양팔저울의 왼쪽에는 무게가 적힌 추가 있고, 오른쪽에는 무게가 같은 구슬이 놓여 있습니다. 양팔저울의 양쪽 무게가 같을 때, 구슬 한 개의 무게를 구해보세요.

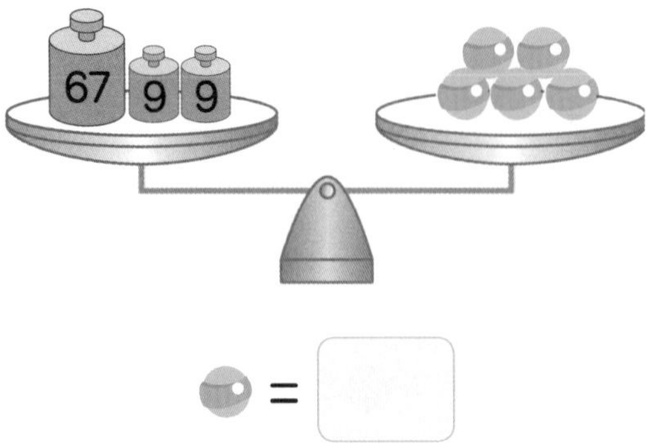

67 9 9

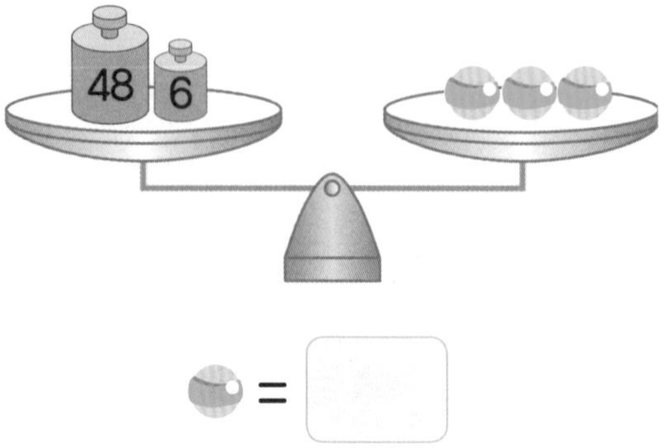

● =

48 6

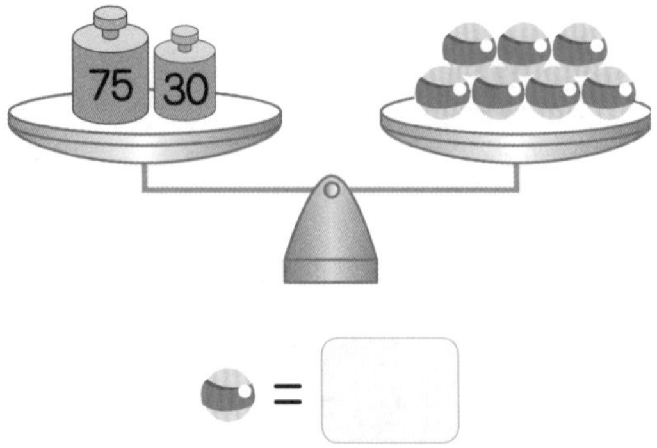

● =

75 30

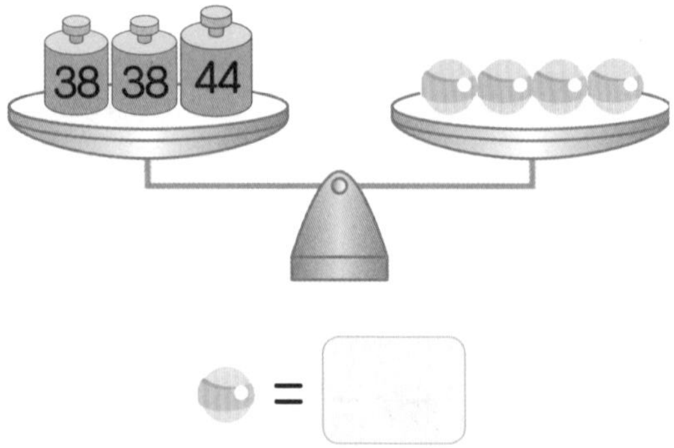

● =

38 38 44

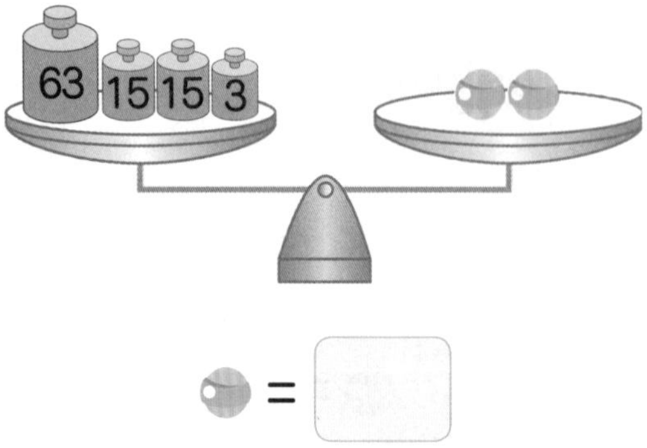

● =

63 15 15 3

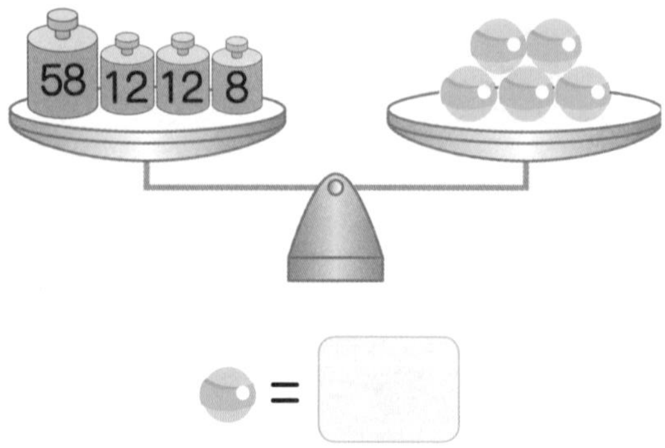

● =

58 12 12 8

● =

벌레 먹은 나눗셈

 빈칸에 알맞은 수를 써넣으세요.

$$
\begin{array}{r}
7\ \boxed{5} \\
4\ \overline{)\ 3\ 0\ 1} \\
2\ 8 \\
\hline
\boxed{2}\ 1 \\
2\ \boxed{0} \\
\hline
\boxed{1}
\end{array}
$$

$$
\begin{array}{r}
\boxed{\ }\ \boxed{\ } \\
5\ \overline{)\ 1\ 8\ 7} \\
1\ \boxed{\ } \\
\hline
3\ \boxed{\ } \\
3\ 5 \\
\hline
\boxed{\ }
\end{array}
$$

$$
\begin{array}{r}
\boxed{\ }\ 5 \\
2\ \overline{)\ 1\ 7\ 0} \\
1\ \boxed{\ } \\
\hline
1\ \boxed{\ } \\
1\ 0 \\
\hline
0
\end{array}
$$

$$
\begin{array}{r}
\boxed{\ }\ \boxed{\ } \\
8\ \overline{)\ 3\ 0\ 3} \\
2\ 4 \\
\hline
\boxed{\ }\ 3 \\
5\ \boxed{\ } \\
\hline
\boxed{\ }
\end{array}
$$

$$
\begin{array}{r}
9\ \boxed{\ } \\
\boxed{\ }\ \overline{)\ 5\ 8\ 2} \\
5\ \boxed{\ } \\
\hline
\boxed{\ }\ 2 \\
4\ 2 \\
\hline
\boxed{\ }
\end{array}
$$

$$
\begin{array}{r}
\boxed{\ }\ \boxed{\ } \\
7\ \overline{)\ 2\ 2\ \boxed{\ }} \\
2\ \boxed{\ } \\
\hline
\boxed{\ }\ 8 \\
1\ 4 \\
\hline
4
\end{array}
$$

$$
\begin{array}{r}
\boxed{\ }\ 9 \\
3\ \overline{)\ 2\ 0\ 8} \\
1\ \boxed{\ } \\
\hline
2\ \boxed{\ } \\
\boxed{\ }\ 7 \\
\hline
1
\end{array}
$$

$$
\begin{array}{r}
6\ \boxed{\ } \\
\boxed{\ }\ \overline{)\ 2\ 7\ 2} \\
2\ 4 \\
\hline
\boxed{\ }\ 2 \\
3\ \boxed{\ } \\
\hline
\boxed{\ }
\end{array}
$$

$$
\begin{array}{r}
\boxed{\ }\ \boxed{\ } \\
9\ \overline{)\ 2\ 1\ 0} \\
1\ \boxed{\ } \\
\hline
3\ 0 \\
2\ \boxed{\ } \\
\hline
\boxed{\ }
\end{array}
$$

빈칸에 알맞은 수를 써넣으세요.

1)
```
         7  □
      ┌────────
   □ )  5  3  7
        4  □
      ────────
        □  7
        4  2
      ────────
           □
```

2)
```
          □  □
      ┌────────
   4 )  2  2  3
        2  0
      ────────
           □  3
           2  □
      ────────
              □
```

3)
```
          □  □
      ┌────────
   5 )  4  6  7
        4  □
      ────────
        1  7
        1  □
      ────────
           □
```

4)
```
         □  □
      ┌────────
   2 )  1  1  □
        1  □
      ────────
        □  7
        1  6
      ────────
           1
```

5)
```
         □  7
      ┌────────
   3 )  2  6  2
        2  □
      ────────
        2  □
        2  1
      ────────
           1
```

6)
```
         7  □
      ┌────────
   □ )  6  1  3
        5  6
      ────────
        □  3
        4  □
      ────────
           □
```

7)
```
         □  □
      ┌────────
   7 )  2  5  8
        2  □
      ────────
        4  □
        4  2
      ────────
           □
```

8)
```
         □  4
      ┌────────
   9 )  4  0  1
        3  □
      ────────
        4  □
        □  6
      ────────
           5
```

9)
```
         6  □
      ┌────────
   □ )  2  0  1
        1  8
      ────────
        □  1
        2  □
      ────────
           □
```

도형이 나타내는 수

 다음 식에서 같은 도형은 같은 수를, 다른 도형은 서로 다른 수를 나타냅니다. 식을 보고 도형이 나타내는 알맞은 수를 찾아 ☐ 안에 써넣으세요.

$51 \div 3 = 17$

$45 \div 3 = \boxed{15}$

$\boxed{90} \div \boxed{15} = 6$

$64 \div \bigcirc = 4$

$\bigcirc \times \blacksquare = 144$

$\boxed{} \div \blacksquare = 5$

$176 \div \bigcirc = 8$

$\bigcirc \times \blacksquare = 66$

$\boxed{} \div \blacksquare = 10$

$72 \div \bigcirc = 3$

$2 \times \blacksquare = \bigcirc$

$\boxed{} \div \blacksquare = 4$

$65 \div \blacksquare = 5$

$\bigcirc \times \blacksquare = 130$

$\bigcirc \times \boxed{} = 70$

$48 \div \bigcirc = 12$

$168 \div \bigcirc = \blacksquare$

$2 \times \blacksquare = \boxed{}$

다음 식에서 같은 도형은 같은 수를, 다른 도형은 서로 다른 수를 나타냅니다. 식을 보고 도형이 나타내는 알맞은 수를 찾아 □ 안에 써넣으세요.

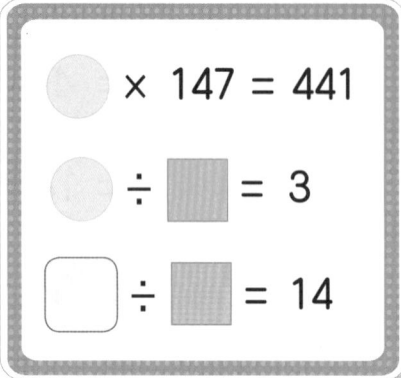

⬤ × 147 = 441

⬤ ÷ ▨ = 3

□ ÷ ▨ = 14

---

85 ÷ ▨ = 5

⬤ × ▨ = 102

⬤ × □ = 54

---

288 ÷ ⬤ = 6

⬤ ÷ 8 = ▨

□ ÷ ▨ = 16

---

63 ÷ ⬤ = 9

⬤ × ▨ = 175

▨ ÷ □ = 5

---

104 ÷ ⬤ = 13

32 ÷ ⬤ = ▨

▨ × □ = 128

---

91 ÷ ⬤ = 7

⬤ ÷ ▨ = 13

□ ÷ ▨ = 75

소마셈 C4 - 4주차

나눗셈식의 활용

□ 번째 도형 찾기

 다음과 같이 도형이 규칙적으로 배열되어 있습니다. 나눗셈식을 이용하여 조건에 맞는 도형을 찾는 방법을 알아보세요.

14번째 도형

식 : 14 ÷ 3 = 4 … 2

14번째 도형

식 :

19번째 도형

식 :

26번째 도형

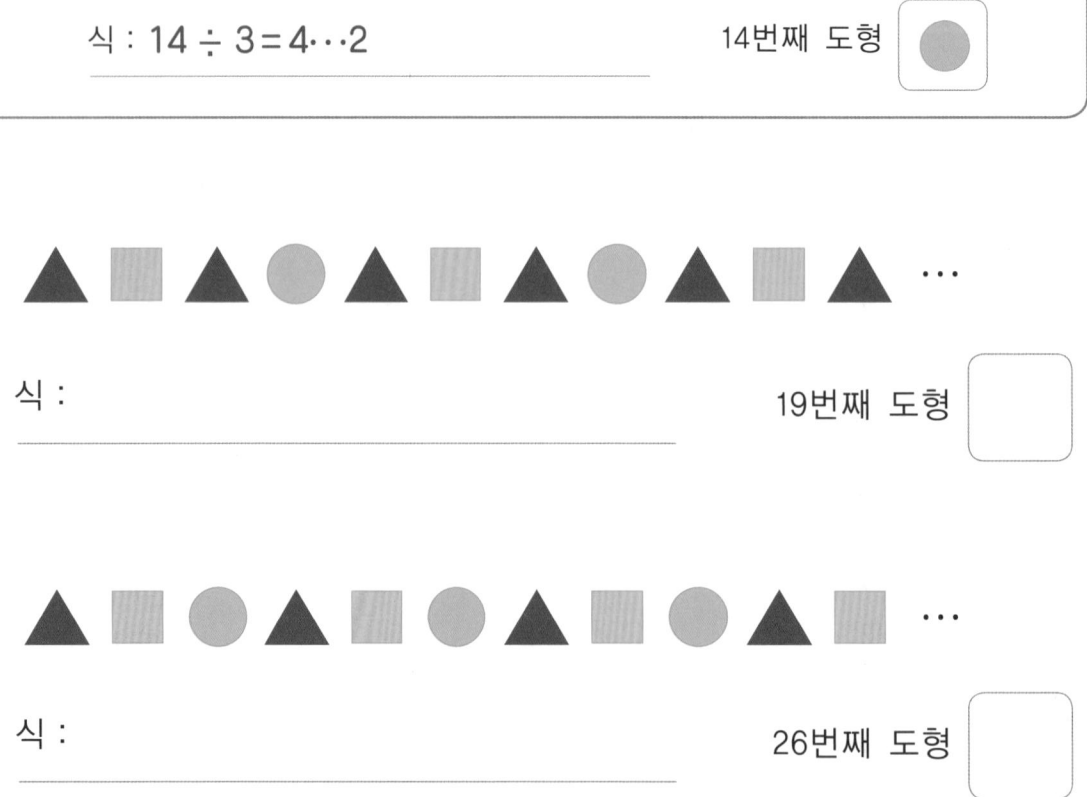

TIP

보기의 문제에서 도형 3개가 똑같이 반복되는 것을 알 수 있습니다. 14를 3으로 나누면 나머지가 2이므로, 14번째 도형은 두 번째 도형인 ●가 됩니다.

다음과 같이 도형이 규칙적으로 배열되어 있습니다. 조건에 맞는 도형을 찾을 수 있는 나눗셈식을 쓰고, 알맞은 도형을 그리세요.

▲ ● ● ▲ ▲ ● ● ▲ ▲ ● ● …

식 :

33번째 도형

■ ▲ ● ■ ▲ ● ■ ▲ ● ■ ▲ …

식 :

49번째 도형

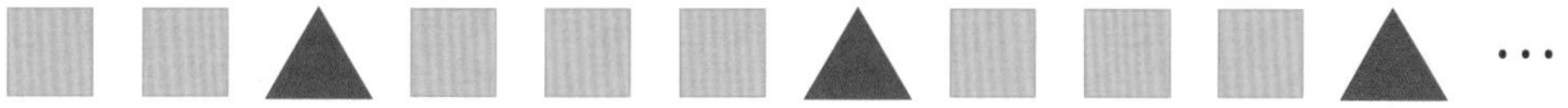

■ ■ ▲ ■ ■ ▲ ■ ■ ▲ …

식 :

30번째 도형

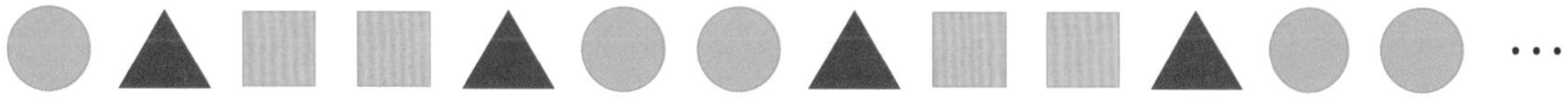

● ▲ ■ ■ ▲ ● ● ▲ ■ ▲ ● ● …

식 :

53번째 도형

다음과 같이 도형이 규칙적으로 배열되어 있습니다. 조건에 맞는 도형을 찾을 수 있는 나눗셈식을 쓰고, 알맞은 도형을 그리세요.

★ ◆ ♥ ★ ◆ ♥ ★ ◆ ♥ ★ ◆ …

식 :

46번째 도형 ☐

◆ ♥ ★ ♥ ♥ ◆ ♥ ★ ♥ ♥ ◆ …

식 :

59번째 도형 ☐

♥ ◆ ★ ◆ ♥ ◆ ★ ◆ ♥ ◆ ★ …

식 :

62번째 도형 ☐

◆ ◆ ♥ ◆ ♥ ★ ◆ ◆ ♥ ◆ ♥ ★ …

식 :

73번째 도형 ☐

바퀴의 개수

 두발자전거와 세발자전거가 있습니다. 다음 글을 읽고, 세발자전거의 수를 구해보세요.

바퀴 수가 모두 63개입니다. 두발자전거가 15대라면, 세발자전거는 몇 대일까요?

① 두발자전거 15대의 바퀴 수 = 2 × 15 = 30 개

② 세발자전거의 바퀴 수 = 63 − 30 = 33 개

③ 세발자전거의 수 = 33 ÷ 3 = 11 대

바퀴 수가 모두 58개입니다. 두발자전거가 17대라면, 세발자전거는 몇 대일까요?

① 두발자전거 17대의 바퀴 수 = ☐ × ☐ = ☐ 개

② 세발자전거의 바퀴 수 = ☐ − ☐ = ☐ 개

③ 세발자전거의 수 = ☐ ÷ ☐ = ☐ 대

 세발자전거와 승용차가 있습니다. 다음 글을 읽고, 승용차의 수를 구해보세요.

바퀴 수가 모두 64개입니다. 세발자전거가 12대라면, 승용차는 몇 대일까요?

① 세발자전거 12대의 바퀴 수 = ☐ × ☐ = ☐ 개

② 승용차의 바퀴 수 = ☐ − ☐ = ☐ 개

③ 승용차의 수 = ☐ ÷ ☐ = ☐ 대

바퀴 수가 모두 78개입니다. 세발자전거가 18대라면, 승용차는 몇 대일까요?

① 세발자전거 18대의 바퀴 수 = ☐ × ☐ = ☐ 개

② 승용차의 바퀴 수 = ☐ − ☐ = ☐ 개

③ 승용차의 수 = ☐ ÷ ☐ = ☐ 대

말과 오리가 있습니다. 다음 글을 읽고, 오리의 수를 구해보세요.

다리 수가 모두 56개입니다. 말이 8마리라면, 오리는 몇 마리일까요?

① 말 8마리의 다리 수 = ☐ × ☐ = ☐ 개

② 오리의 다리 수 = ☐ – ☐ = ☐ 개

③ 오리의 수 = ☐ ÷ ☐ = ☐ 마리

다리 수가 모두 84개입니다. 말이 13마리라면, 오리는 몇 마리일까요?

① 말 13마리의 다리 수 = ☐ × ☐ = ☐ 개

② 오리의 다리 수 = ☐ – ☐ = ☐ 개

③ 오리의 수 = ☐ ÷ ☐ = ☐ 마리

개미와 고양이가 있습니다. 다음 글을 읽고, 개미의 수를 구해보세요.

다리 수가 모두 60개입니다. 고양이가 9마리라면, 개미는 몇 마리일까요?

① 고양이 9마리의 다리 수 = ☐ × ☐ = ☐ 개

② 개미의 다리 수 = ☐ – ☐ = ☐ 개

③ 개미의 수 = ☐ ÷ ☐ = ☐ 마리

다리 수가 모두 82개입니다. 고양이가 16마리라면, 개미는 몇 마리일까요?

① 고양이 16마리의 다리 수 = ☐ × ☐ = ☐ 개

② 개미의 다리 수 = ☐ – ☐ = ☐ 개

③ 개미의 수 = ☐ ÷ ☐ = ☐ 마리

가로수 심기

 일정한 간격으로 도로 한쪽에 가로수가 심어져 있습니다. 다음 글을 읽고, 가로수의 수를 구해보세요.

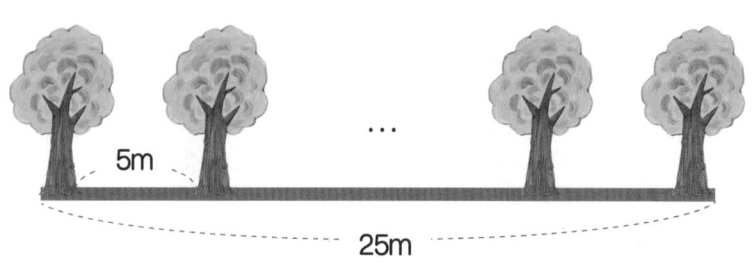

5m

25m

① 가로수와 가로수 사이의 간격 수 = 25 ÷ 5 = 5 군데

② 가로수의 수 = 5 + 1 = 6 그루

6m

54m

① 가로수와 가로수 사이의 간격 수 = ☐ ÷ ☐ = ☐ 군데

② 가로수의 수 = ☐ + ☐ = ☐ 그루

 TIP

위와 같이 도로 한쪽에 가로수를 심을 때, 처음과 끝에도 가로수가 있으므로 가로수의 수는 간격의 수보다 1개 더 많습니다.

 일정한 간격으로 도로 한쪽에 가로수가 심어져 있습니다. 다음 글을 읽고, 가로수의 수를 구해보세요.

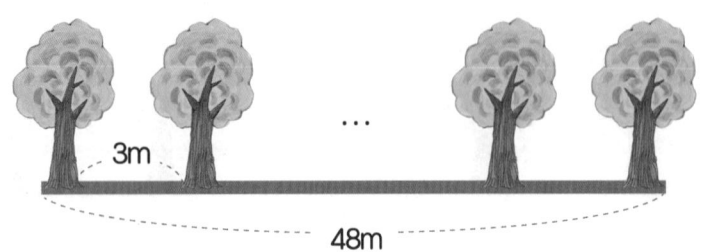

식 : 48 ÷ 3 = 16, 16 + 1 = 17   답 : 17 그루

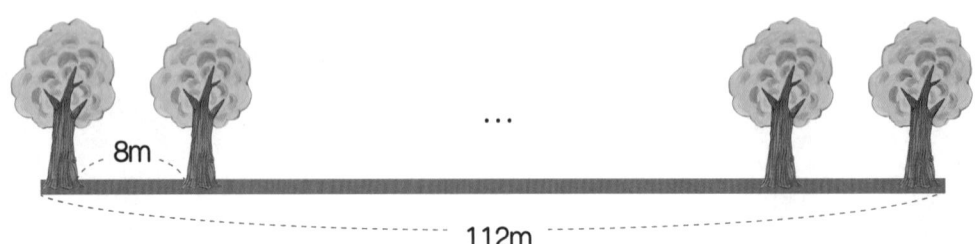

식 :   답 :

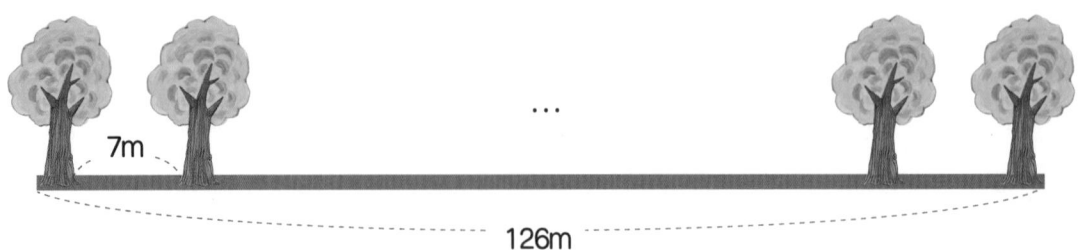

식 :   답 :

일정한 간격으로 도로 양쪽에 가로등이 세워져 있습니다. 다음 글을 읽고, 가로등의 수를 구해보세요.

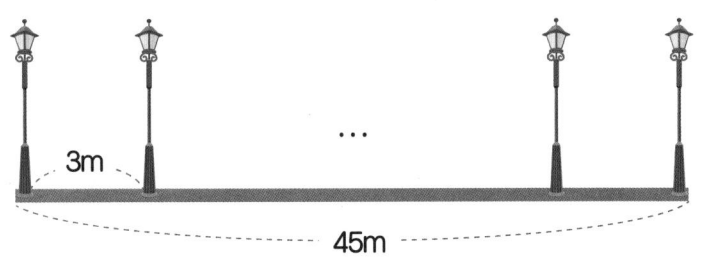

① 도로 한쪽의 가로등과 가로등 사이의 간격 수 = $\boxed{45} \div \boxed{3} = \boxed{15}$ 군데

② 도로 한쪽의 가로등의 수 = $\boxed{15} + \boxed{1} = \boxed{16}$ 개

③ 도로 양쪽의 가로등의 수 = $\boxed{16} \times \boxed{2} = \boxed{32}$ 개

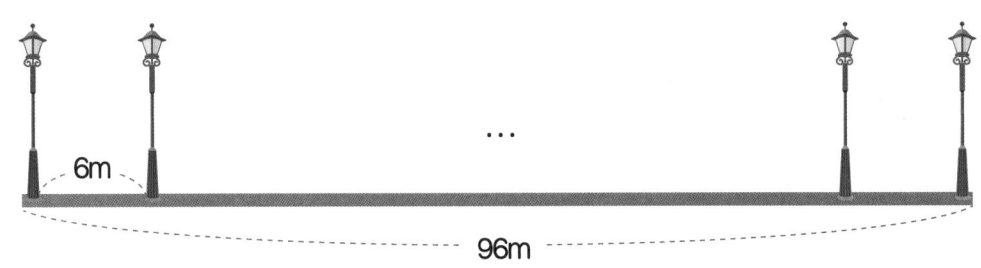

① 도로 한쪽의 가로등과 가로등 사이의 간격 수 = $\boxed{} \div \boxed{} = \boxed{}$ 군데

② 도로 한쪽의 가로등의 수 = $\boxed{} + \boxed{} = \boxed{}$ 개

③ 도로 양쪽의 가로등의 수 = $\boxed{} \times \boxed{} = \boxed{}$ 개

일정한 간격으로 도로 양쪽에 가로등이 세워져 있습니다. 다음 글을 읽고, 가로등의 수를 구해보세요.

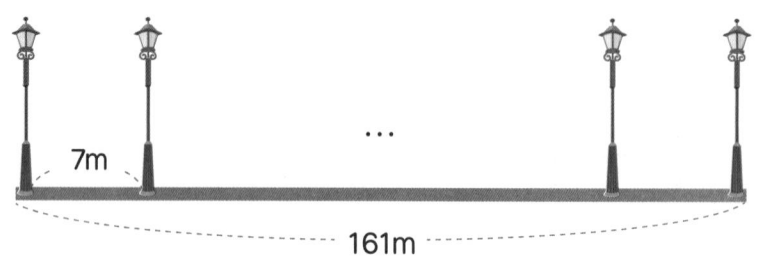

① 도로 한쪽의 가로등과 가로등 사이의 간격 수 = ☐ ÷ ☐ = ☐ 군데

② 도로 한쪽의 가로등의 수 = ☐ + ☐ = ☐ 개

③ 도로 양쪽의 가로등의 수 = ☐ × ☐ = ☐ 개

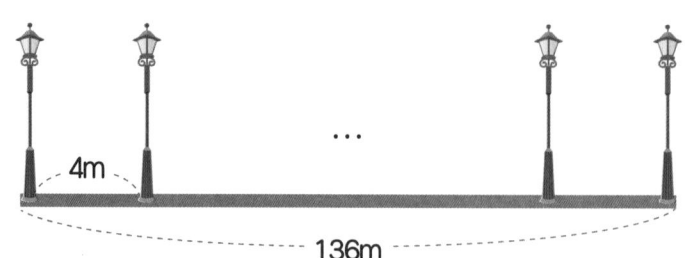

① 도로 한쪽의 가로등과 가로등 사이의 간격 수 = ☐ ÷ ☐ = ☐ 군데

② 도로 한쪽의 가로등의 수 = ☐ + ☐ = ☐ 개

③ 도로 양쪽의 가로등의 수 = ☐ × ☐ = ☐ 개

도형의 둘레

다음 글을 읽고, 두 도형의 한 변의 길이의 차를 구해보세요.

둘레가 48cm인 정사각형과 둘레가 33cm인 정삼각형이 있습니다. 두 도형의 한 변의 길이의 차는 몇 cm일까요?

① 정사각형의 한 변의 길이 = ⎡48⎤ ÷ ⎡4⎤ = ⎡12⎤ cm

② 정삼각형의 한 변의 길이 = ⎡33⎤ ÷ ⎡3⎤ = ⎡11⎤ cm

③ 두 도형의 한 변의 길이의 차 = ⎡12⎤ − ⎡11⎤ = ⎡1⎤ cm

둘레가 80cm인 정사각형과 둘레가 78cm인 정육각형이 있습니다. 두 도형의 한 변의 길이의 차는 몇 cm일까요?

① 정사각형의 한 변의 길이 = ⎡ ⎤ ÷ ⎡ ⎤ = ⎡ ⎤ cm

② 정육각형의 한 변의 길이 = ⎡ ⎤ ÷ ⎡ ⎤ = ⎡ ⎤ cm

③ 두 도형의 한 변의 길이의 차 = ⎡ ⎤ − ⎡ ⎤ = ⎡ ⎤ cm

 다음 글을 읽고, 두 도형의 한 변의 길이의 차를 구해보세요.

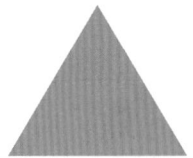   

둘레가 60cm인 정삼각형과 둘레가 44cm인 정사각형이 있습니다. 두 도형의 한 변의 길이의 차는 몇 cm일까요?

식 : $60 \div 3 = 20$, $44 \div 4 = 11$, $20 - 11 = 9$ 답 : $9\,cm$

둘레가 124cm인 정사각형과 둘레가 84cm인 정육각형이 있습니다. 두 도형의 한 변의 길이의 차는 몇 cm일까요?

식 :   답 :

둘레가 135cm인 정오각형과 둘레가 78cm인 정삼각형이 있습니다. 두 도형의 한 변의 길이의 차는 몇 cm일까요?

식 :   답 :

둘레가 135cm인 정삼각형과 둘레가 150cm인 정육각형이 있습니다. 두 도형의 한 변의 길이의 차는 몇 cm일까요?

식 :   답 :

 크기가 같은 도형을 이어 붙여 만든 도형입니다. 각 도형의 둘레가 다음과 같을 때, 글을 읽고 색칠한 부분의 둘레를 구해보세요.

도형의 둘레 : 48cm

① 정삼각형의 한 변의 길이

= 48 ÷ 6 = 8 cm

② 색칠한 부분의 둘레

= 8 × 9 = 72 cm

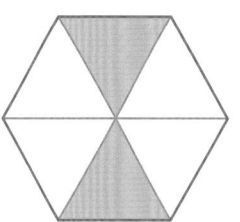

도형의 둘레 : 72cm

① 정삼각형의 한 변의 길이

= ☐ ÷ ☐ = ☐ cm

② 색칠한 부분의 둘레

= ☐ × ☐ = ☐ cm

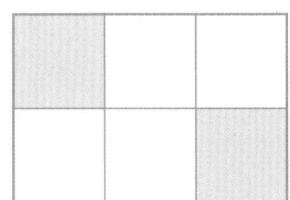

도형의 둘레 : 70cm

① 정사각형의 한 변의 길이

= ☐ ÷ ☐ = ☐ cm

② 색칠한 부분의 둘레

= ☐ × ☐ = ☐ cm

도형의 둘레 : 100cm

① 정사각형의 한 변의 길이

= ☐ ÷ ☐ = ☐ cm

② 색칠한 부분의 둘레

= ☐ × ☐ = ☐ cm

크기가 같은 도형을 이어 붙여 만든 도형입니다. 각 도형의 둘레가 다음과 같을 때, 글을 읽고 색칠한 부분의 둘레를 구해보세요.

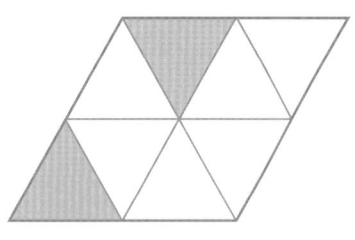

식 : $80 \div 10 = 8$, $8 \times 12 = 96$

답 : 96 cm

도형의 둘레 : 80cm

식 :

답 :

도형의 둘레 : 96cm

식 :

답 :

도형의 둘레 : 56cm

TIP

도형의 한 변의 길이를 먼저 구한 후, 색칠된 부분의 둘레를 구합니다.

□가 있는 식 만들기

 다음을 읽고 □를 사용하여 식을 만들고, 바르게 계산한 값을 구하세요.

어떤 수를 5로 나누어야 할 것을 잘못하여 3으로 나누었더니 몫이 12이고, 나머지가 2였습니다. 바르게 계산하면 몫과 나머지는 각각 얼마일까요?

잘못된 계산 : $\square \div 3 = 12 \cdots 2$, $\square = 3 \times 12 + 2 = 38$

바른 계산 : $38 \div 5 = 7 \cdots 3$

어떤 수를 2로 나누어야 할 것을 잘못하여 6으로 나누었더니 몫이 10이고, 나머지가 3이었습니다. 바르게 계산하면 몫과 나머지는 각각 얼마일까요?

잘못된 계산 :

바른 계산 :

 ,

어떤 수를 □로 놓고 식을 만듭니다. 잘못된 계산을 이용하여 □를 먼저 구할 때, 검산식을 이용합니다.

 다음을 읽고 □를 사용하여 식을 만들고, 바르게 계산한 값을 구하세요.

어떤 수를 4로 나누어야 할 것을 잘못하여 5로 나누었더니 몫이 8이고, 나머지가 2였습니다. 바르게 계산하면 몫과 나머지는 각각 얼마일까요?

잘못된 계산 :

바른 계산 :

☐ , ☐

어떤 수를 7로 나누어야 할 것을 잘못하여 3으로 나누었더니 몫이 11이고, 나머지가 1이었습니다. 바르게 계산하면 몫과 나머지는 각각 얼마일까요?

잘못된 계산 :

바른 계산 :

☐ , ☐

다음을 읽고 □를 사용하여 식을 만들고, 바르게 계산한 값을 구하세요.

어떤 수를 3으로 나누어야 할 것을 잘못하여 8로 나누었더니 몫이 9이고, 나머지가 5였습니다. 바르게 계산하면 몫과 나머지는 각각 얼마일까요?

잘못된 계산 :

바른 계산 : ⬚ , ⬚

어떤 수를 9로 나누어야 할 것을 잘못하여 6으로 나누었더니 몫이 13이고, 나머지가 4였습니다. 바르게 계산하면 몫과 나머지는 각각 얼마일까요?

잘못된 계산 :

바른 계산 : ⬚ , ⬚

어떤 수를 4로 나누어야 할 것을 잘못하여 6으로 나누었더니 몫이 12이고, 나머지가 3이었습니다. 바르게 계산하면 몫과 나머지는 각각 얼마일까요?

잘못된 계산 :

바른 계산 : ⬚ , ⬚

 다음을 읽고 □를 사용하여 식을 만들고, 바르게 계산한 값을 구하세요.

어떤 수를 7로 나누어야 할 것을 잘못하여 6으로 나누었더니 몫이 13이고, 나머지가 2였습니다. 바르게 계산하면 몫과 나머지는 각각 얼마일까요?

잘못된 계산 :

─────────────────────

바른 계산 :

─────────────────────   ☐ , ☐

어떤 수를 8로 나누어야 할 것을 잘못하여 3으로 나누었더니 몫이 23이고, 나머지가 1이었습니다. 바르게 계산하면 몫과 나머지는 각각 얼마일까요?

잘못된 계산 :

─────────────────────

바른 계산 :

─────────────────────   ☐ , ☐

어떤 수를 2로 나누어야 할 것을 잘못하여 9로 나누었더니 몫이 10이고, 나머지가 7이었습니다. 바르게 계산하면 몫과 나머지는 각각 얼마일까요?

잘못된 계산 :

─────────────────────

바른 계산 :

─────────────────────   ☐ , ☐

보충학습

Drill

빈칸에 알맞은 수를 써넣으세요.

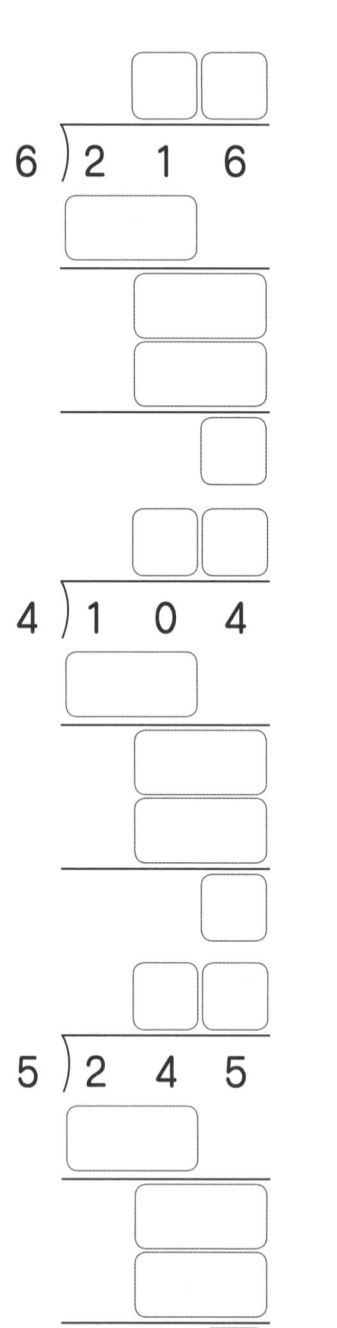

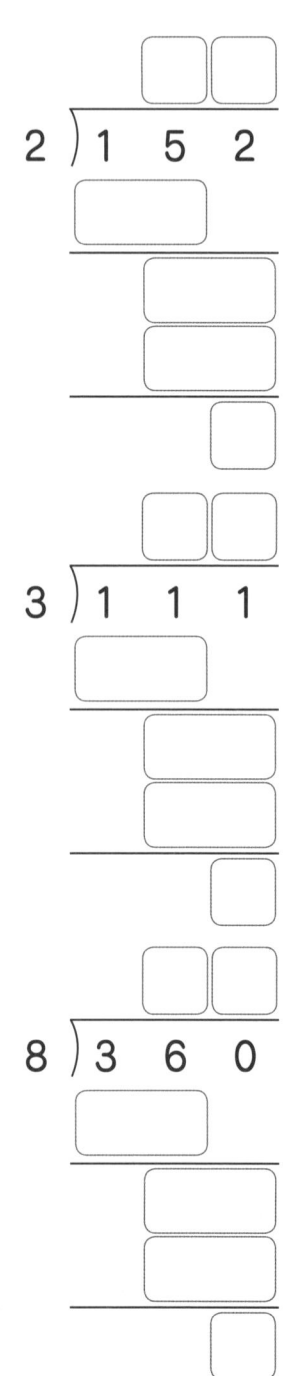

$5\,)\,1\ 2\ 0$

$6\,)\,2\ 1\ 6$

$2\,)\,1\ 5\ 2$

$3\,)\,1\ 7\ 1$

$4\,)\,1\ 0\ 4$

$3\,)\,1\ 1\ 1$

$4\,)\,1\ 7\ 2$

$5\,)\,2\ 4\ 5$

$8\,)\,3\ 6\ 0$

빈칸에 알맞은 수를 써넣으세요.

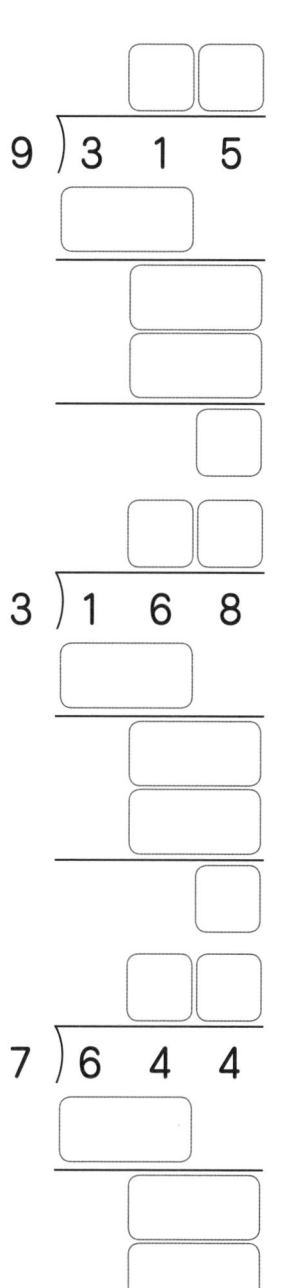
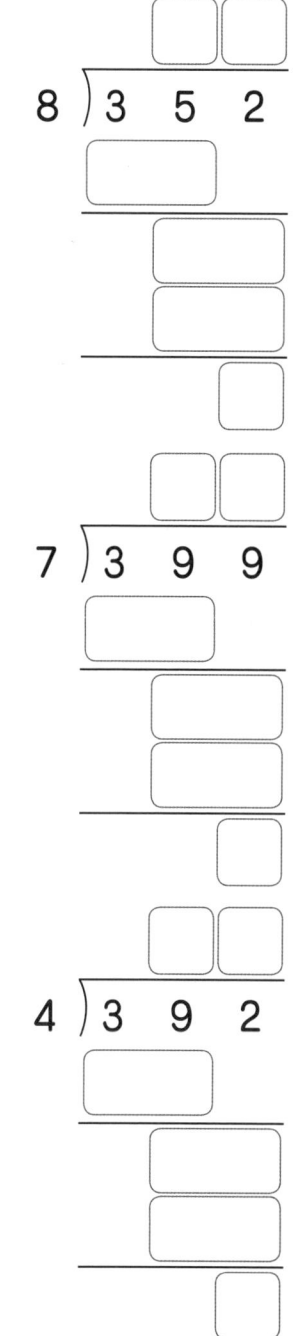

각 자리의 위치를 맞추어 빈칸에 알맞은 수를 써넣으세요.

```
        7 3
   2 ) 1 4 6
       1 4
           6
           6
           0
```

```
   5 ) 2 6 5
```

```
   2 ) 1 9 4
```

```
   7 ) 3 4 3
```

```
   9 ) 3 1 5
```

```
   8 ) 2 7 2
```

```
   6 ) 3 9 6
```

```
   4 ) 3 7 2
```

```
   8 ) 5 2 8
```

각 자리의 위치를 맞추어 빈칸에 알맞은 수를 써넣으세요.

$5\,\overline{)\,1\ \ 7\ \ 0}$

$3\,\overline{)\,2\ \ 5\ \ 8}$

$4\,\overline{)\,2\ \ 6\ \ 0}$

$7\,\overline{)\,1\ \ 6\ \ 1}$

$2\,\overline{)\,1\ \ 1\ \ 2}$

$8\,\overline{)\,2\ \ 3\ \ 2}$

$9\,\overline{)\,1\ \ 9\ \ 8}$

$5\,\overline{)\,2\ \ 6\ \ 0}$

$7\,\overline{)\,2\ \ 3\ \ 8}$

빈칸에 알맞은 수를 써넣으세요.

$3\,)\,\overline{1\quad 1\quad 0}$

$5\,)\,\overline{2\quad 8\quad 7}$

$2\,)\,\overline{1\quad 8\quad 7}$

$8\,)\,\overline{7\quad 1\quad 1}$

$4\,)\,\overline{2\quad 9\quad 1}$

$7\,)\,\overline{3\quad 1\quad 4}$

$9\,)\,\overline{5\quad 1\quad 2}$

$8\,)\,\overline{5\quad 1\quad 0}$

$6\,)\,\overline{3\quad 8\quad 1}$

빈칸에 알맞은 수를 써넣으세요.

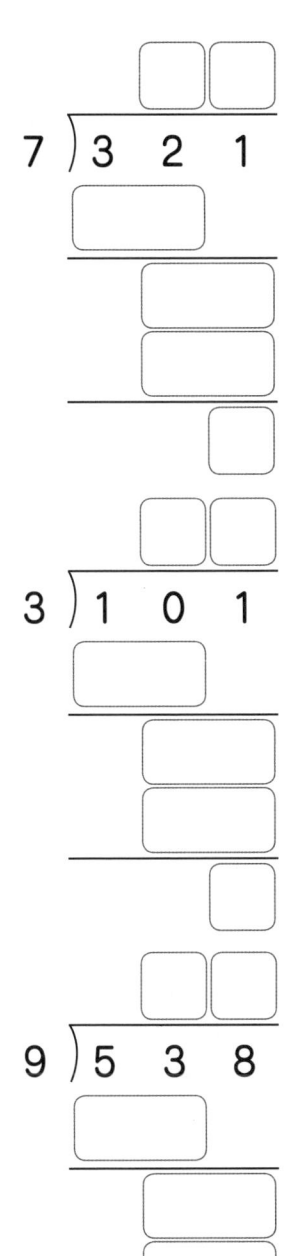
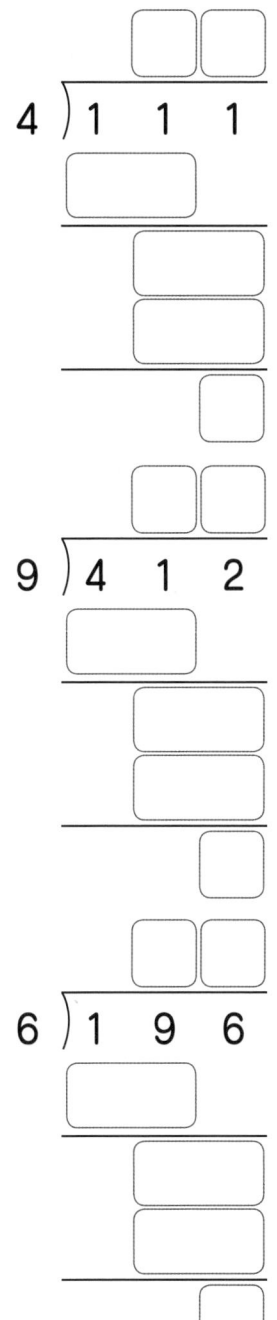

각 자리의 위치를 맞추어 빈칸에 알맞은 수를 써넣으세요.

```
          5  6
   4 ) 2  2  7
      2  0
         2  7
         2  4
            3
```

```
   6 ) 1  0  5
```

```
   9 ) 2  1  1
```

```
   7 ) 5  3  3
```

```
   8 ) 2  1  3
```

```
   6 ) 2  2  3
```

```
   5 ) 2  0  2
```

```
   7 ) 3  4  2
```

```
   3 ) 1  1  0
```

각 자리의 위치를 맞추어 빈칸에 알맞은 수를 써넣으세요.

6) 5 0 3

9) 2 5 1

3) 2 0 0

7) 1 1 4

6) 2 3 8

4) 3 3 7

3) 2 3 8

8) 6 2 3

7) 6 0 0

3주차

규칙과 나눗셈

빈칸에 알맞은 수를 써넣으세요.

첫 번째 세로셈 (왼쪽 위)

```
        □ □
  5 ) 2 2 6
      2 □
      ─────
        2 □
        2 5
      ─────
          □
```

두 번째 세로셈 (왼쪽 가운데)

```
        8 □
  □ ) 7 7 2
      7 □
      ─────
        □ 2
        4 5
      ─────
          □
```

세 번째 세로셈 (왼쪽 아래)

```
        9 □
  □ ) 1 9 2
      1 8
      ─────
        □ 2
        1 □
      ─────
          □
```

네 번째 세로셈 (가운데 위)

```
        □ 3
  3 ) 2 2 0
      2 □
      ─────
        1 □
          □
      ─────
          1
```

다섯 번째 세로셈 (가운데 가운데)

```
        □ □
  7 ) 1 9 □
      1 □
      ─────
        □ 8
        5 6
      ─────
          2
```

여섯 번째 세로셈 (가운데 아래)

```
        □ □
  5 ) 3 3 4
      3 □
      ─────
        3 4
        3 □
      ─────
          □
```

일곱 번째 세로셈 (오른쪽 위)

```
        7 □
  □ ) 4 5 3
      4 2
      ─────
        □ 3
        3 □
      ─────
          □
```

여덟 번째 세로셈 (오른쪽 가운데)

```
        □ □
  8 ) 4 6 4
      4 0
      ─────
        □ 4
        6 □
      ─────
          □
```

아홉 번째 세로셈 (오른쪽 아래)

```
        □ 3
  9 ) 2 1 0
      1 □
      ─────
        3 □
        □ 7
      ─────
          3
```

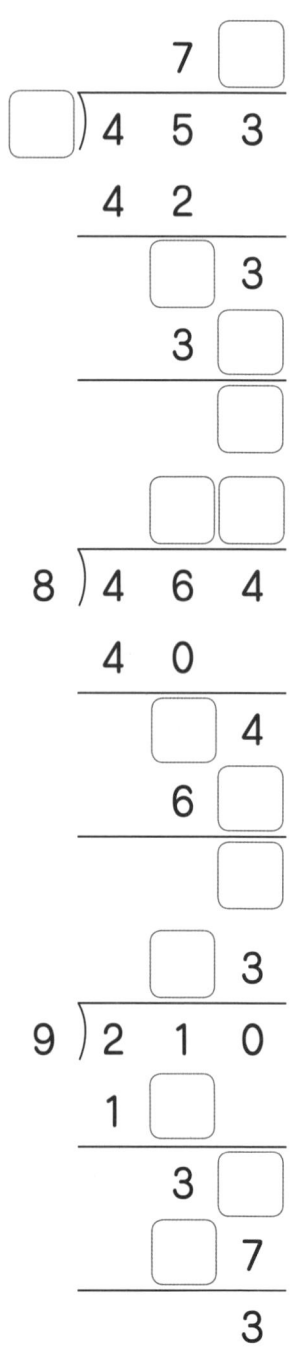

빈칸에 알맞은 수를 써넣으세요.

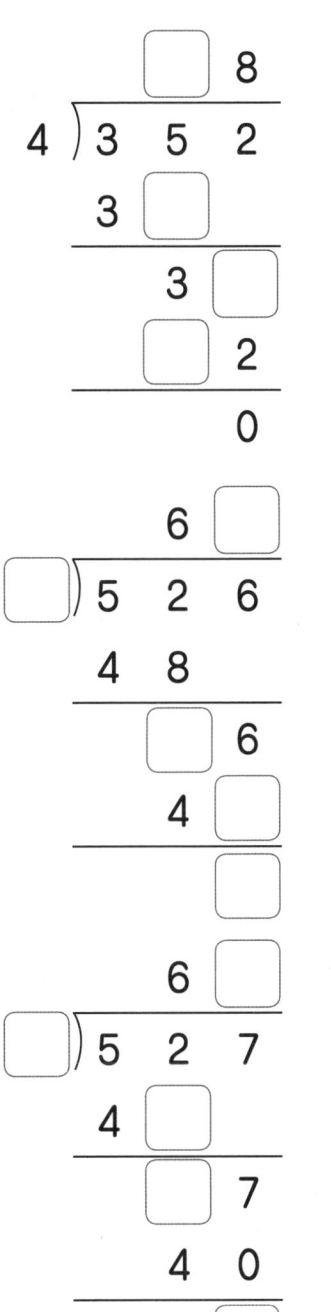
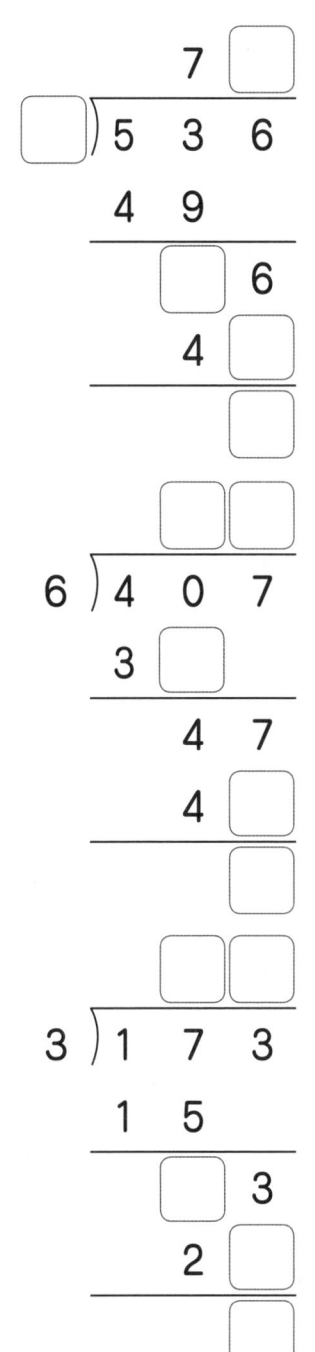

다음 식에서 같은 도형은 같은 수를, 다른 도형은 서로 다른 수를 나타냅니다. 식을 보고 도형이 나타내는 알맞은 수를 찾아 □ 안에 써넣으세요.

$36 \div \bigcirc = 3$

$\bigcirc \times \blacksquare = 96$

$\boxed{} \div \blacksquare = 2$

$99 \div \bigcirc = 11$

$45 \div \bigcirc = \blacksquare$

$\boxed{} \div \blacksquare = 4$

$104 \div \bigcirc = 8$

$13 \times \blacksquare = \bigcirc$

$\boxed{} \times \blacksquare = 59$

$138 \div \bigcirc = 6$

$\bigcirc \times \blacksquare = 46$

$\boxed{} \div \blacksquare = 34$

$48 \div \bigcirc = 12$

$116 \div \bigcirc = \blacksquare$

$3 \times \blacksquare = \boxed{}$

$60 \div \blacksquare = 5$

$\bigcirc \times \blacksquare = 72$

$\bigcirc \times \boxed{} = 84$

다음 식에서 같은 도형은 같은 수를, 다른 도형은 서로 다른 수를 나타냅니다. 식을 보고
도형이 나타내는 알맞은 수를 찾아 □ 안에 써넣으세요.

$$52 \div \bullet = 4$$
$$6 \times \bullet = \blacksquare$$
$$\square \times 2 = \blacksquare$$

$$75 \div \bullet = 5$$
$$\bullet \div \blacksquare = 5$$
$$\square \div \blacksquare = 29$$

$$\bullet \times 9 = 216$$
$$\bullet \div \blacksquare = 4$$
$$\square \div \blacksquare = 14$$

$$62 \div \blacksquare = 31$$
$$\bullet \times \blacksquare = 72$$
$$\bullet \times \square = 252$$

$$192 \div \bullet = 6$$
$$\bullet \div 8 = \blacksquare$$
$$\square \times \blacksquare = 24$$

$$72 \div \bullet = 9$$
$$\bullet \times \blacksquare = 336$$
$$\blacksquare \div \square = 6$$

나눗셈식의 활용

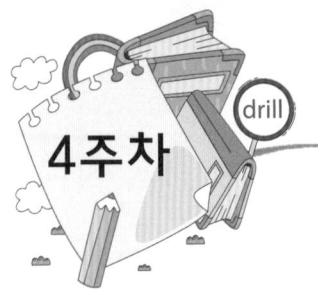

다음과 같이 도형이 규칙적으로 배열되어 있습니다. 조건에 맞는 도형을 찾을 수 있는 나눗셈식을 쓰고, 알맞은 도형을 그리세요.

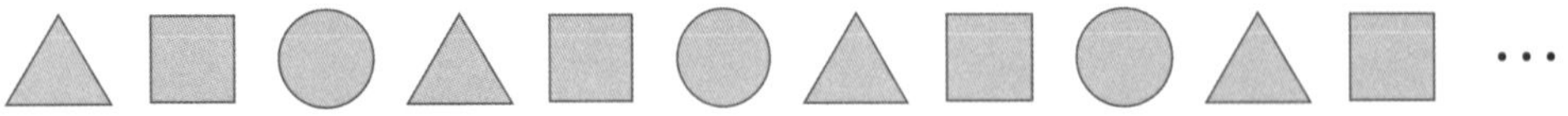

식 :

23번째 도형

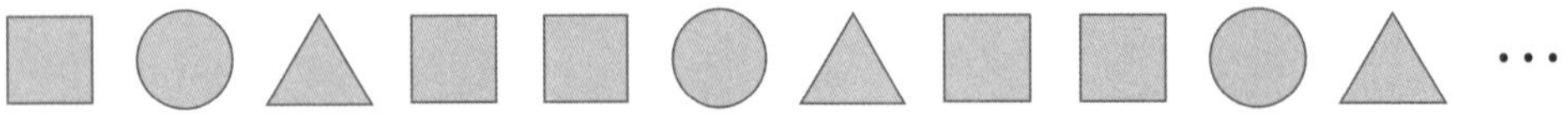

식 :

46번째 도형

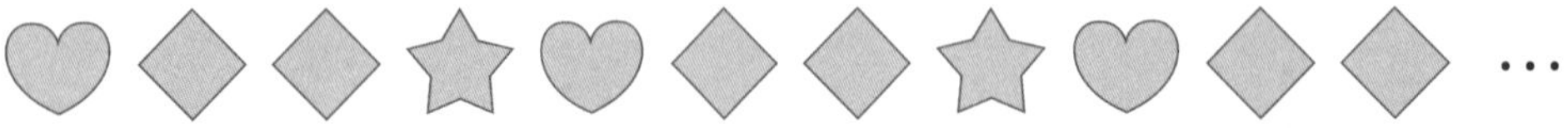

식 :

39번째 도형

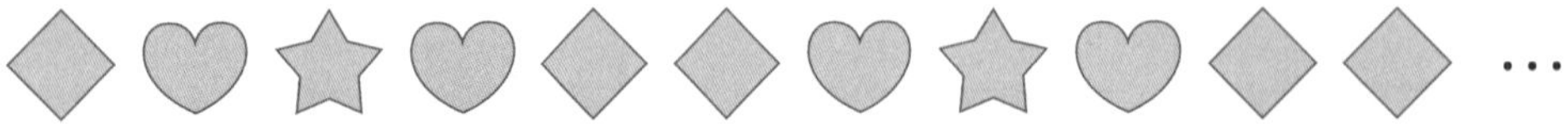

식 :

66번째 도형

다음과 같이 도형이 규칙적으로 배열되어 있습니다. 조건에 맞는 도형을 찾을 수 있는 나눗셈식을 쓰고, 알맞은 도형을 그리세요.

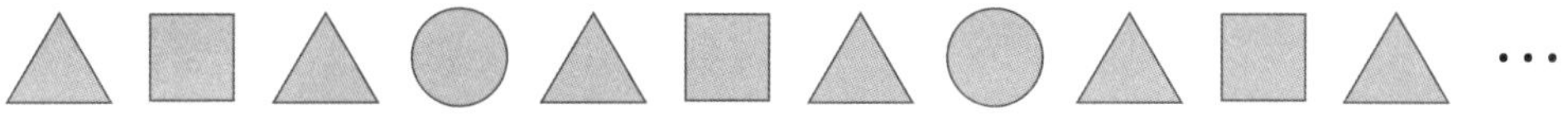

식 :

19번째 도형

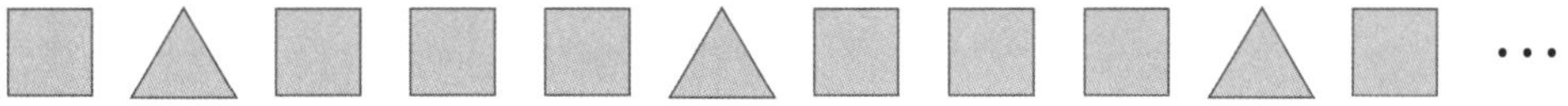

식 :

33번째 도형

식 :

53번째 도형

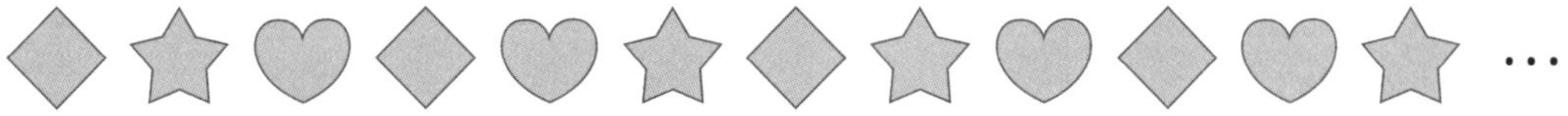

식 :

71번째 도형

다음 글을 읽고, 두 도형의 한 변의 길이의 차를 구해보세요.

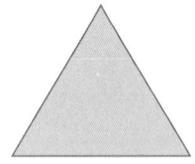  

둘레가 39cm인 정삼각형과 둘레가 60cm인 정오각형이 있습니다. 두 도형의 한 변의 길이의 차는 몇 cm일까요?

① 정삼각형의 한 변의 길이 = ☐ ÷ ☐ = ☐ cm

② 정오각형의 한 변의 길이 = ☐ ÷ ☐ = ☐ cm

③ 두 도형의 한 변의 길이의 차 = ☐ – ☐ = ☐ cm

둘레가 54cm인 정삼각형과 둘레가 64cm인 정사각형이 있습니다. 두 도형의 한 변의 길이의 차는 몇 cm일까요?

① 정삼각형의 한 변의 길이 = ☐ ÷ ☐ = ☐ cm

② 정사각형의 한 변의 길이 = ☐ ÷ ☐ = ☐ cm

③ 두 도형의 한 변의 길이의 차 = ☐ – ☐ = ☐ cm

다음 글을 읽고, 두 도형의 한 변의 길이의 차를 구해보세요.

둘레가 51cm인 정삼각형과 둘레가 48cm인 정사각형이 있습니다. 두 도형의 한 변의 길이의 차는 몇 cm일까요?

식 :

답 :

둘레가 92cm인 정사각형과 둘레가 85cm인 정오각형이 있습니다. 두 도형의 한 변의 길이의 차는 몇 cm일까요?

식 :

답 :

둘레가 75cm인 정삼각형과 둘레가 114cm인 정육각형이 있습니다. 두 도형의 한 변의 길이의 차는 몇 cm일까요?

식 :

답 :

둘레가 120cm인 정오각형과 둘레가 45cm인 정삼각형이 있습니다. 두 도형의 한 변의 길이의 차는 몇 cm일까요?

식 :

답 :

정답

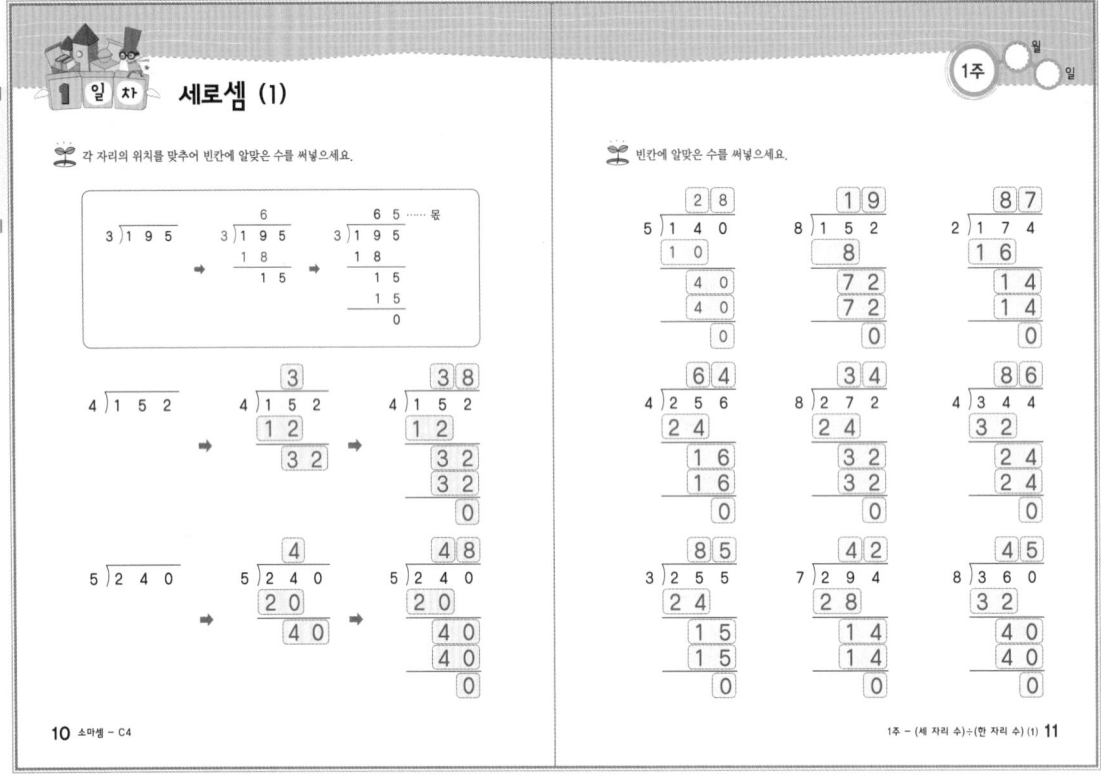

1 일차 세로셈 (1)

각 자리의 위치를 맞추어 빈칸에 알맞은 수를 써넣으세요.

빈칸에 알맞은 수를 써넣으세요.

10 소마셈 – C4

2 일차 세로셈 (2)

빈칸에 알맞은 수를 써넣으세요.

각 자리의 위치를 맞추어 빈칸에 알맞은 수를 써넣으세요.

12 소마셈 – C4

1주 · 월 일

각 자리의 위치를 맞추어 빈칸에 알맞은 수를 써넣으세요.

```
     4 4                4 7                9 9
5)2 2 0          3)1 4 1          4)3 9 6
  2 0                1 2                3 6
  ─────              ─────              ─────
    2 0                2 1                3 6
    2 0                2 1                3 6
    ─────              ─────              ─────
      0                  0                  0

     4 7                5 9                8 6
6)2 8 2          8)4 7 2          7)6 0 2
  2 4                4 0                5 6
  ─────              ─────              ─────
    4 2                7 2                4 2
    4 2                7 2                4 2
    ─────              ─────              ─────
      0                  0                  0

     7 1                4 5                3 4
5)3 5 5          7)3 1 5          6)2 0 4
  3 5                2 8                1 8
  ─────              ─────              ─────
      5                3 5                2 4
      5                3 5                2 4
    ─────              ─────              ─────
      0                  0                  0
```

3일차 잘못된 식

다음과 같이 계산이 잘못된 곳을 찾아 표시하고, 답을 바르게 고쳐 보세요.

```
     6 3                          6 5
3)1 9 5          ➡       3)1 9 5
  1 8                            1 8
  ─────                          ─────
    1✕0                            1 5
    1✕0                            1 5
    ─────                          ─────
      0                            0

     ✕4 7                         4 7
5)2 3 5          ➡       5)2 3 5
  2 0                            2 0
  ─────                          ─────
    3 5                            3 5
    3 5                            3 5
    ─────                          ─────
      0                            0

     5 ✕4                         5 4
2)1 0 8          ➡       2)1 0 8
  1 0                            1 0
  ─────                          ─────
    ✕8                             8
    ✕8                             8
    ─────                          ─────
      0                            0
```

1주 · 월 일

계산이 잘못된 곳을 찾아 표시하고, 답을 바르게 고쳐 보세요.

```
     3 ✕8                         3 7
7)2 5 9          ➡       7)2 5 9
  2 1                            2 1
  ─────                          ─────
    4 9                            4 9
    ✕4✕9                           4 9
    ─────                          ─────
      ✕                            0

     4 ✕0                         4 1
8)3 2 8          ➡       8)3 2 8
  3 2                            3 2
  ─────                          ─────
    ✕4✕8                           8
    ✕4✕8                           8
    ─────                          ─────
      0                            0

     ✕2✕0 4                       2 4
6)1 4 4          ➡       6)1 4 4
  1 2                            1 2
  ─────                          ─────
    2 4                            2 4
    2 4                            2 4
    ─────                          ─────
      0                            0
```

4일차 나눗셈 퍼즐

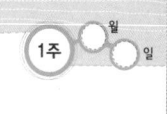

나눗셈을 하여 몫이 같은 것끼리 선으로 이어보세요.

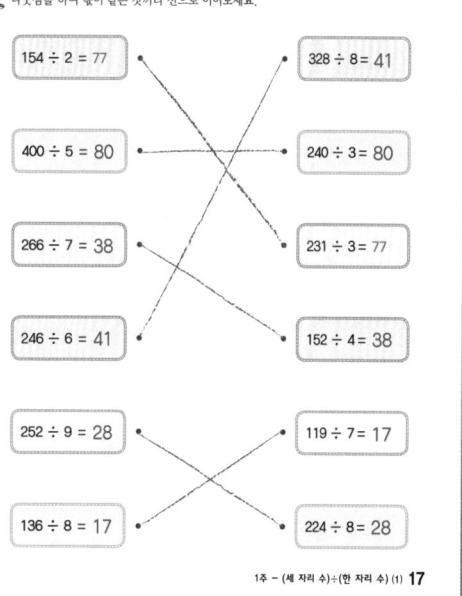

154 ÷ 2 = 77	328 ÷ 8 = 41
400 ÷ 5 = 80	240 ÷ 3 = 80
266 ÷ 7 = 38	231 ÷ 3 = 77
246 ÷ 6 = 41	152 ÷ 4 = 38
252 ÷ 9 = 28	119 ÷ 7 = 17
136 ÷ 8 = 17	224 ÷ 8 = 28

🌱 올바른 계산 결과가 되도록 길을 그려 보세요.

196÷2 → 96 / 98 / 99

282÷3 → 88 / 92 / 94

259÷7 → 37 / 38 / 39

444÷6 → 44 / 74 / 76

504÷8 → 54 / 61 / 63

405÷9 → 45 / 50 / 54

18 소마셈 - C4

5 일차 문장제

🌱 다음을 읽고 알맞은 나눗셈식을 쓰고, 답을 구하세요.

양계장에서 달걀 108개를 한 통에 4개씩 담았습니다. 달걀은 모두 몇 통에 담을 수 있을까요?

식 : 108 ÷ 4 = 27   **27** 통

빨간 색종이와 파란 색종이가 각각 159장씩 있습니다. 이 색종이를 6장씩 한 묶음으로 만들면 모두 몇 묶음을 만들 수 있을까요?

식 : 159 + 159 = 318 , 318 ÷ 6 = 53   **53** 묶음

신나는 연산!

🌱 다음을 읽고 알맞은 나눗셈식을 쓰고, 답을 구하세요.

과일가게에서 사과 112개를 한 봉지에 7개씩 담았습니다. 사과는 모두 몇 봉지에 담을 수 있을까요?

식 : 112 ÷ 7 = 16   **16** 봉지

현지는 구슬을 156개 가지고 있습니다. 동생에게 28개를 주고 남은 구슬을 8개씩 상자에 담았습니다. 구슬은 모두 몇 상자에 담을 수 있을까요?

식 : 156 - 28 = 128 , 128 ÷ 8 = 16   **16** 상자

20 소마셈 - C4

🌱 다음을 읽고 알맞은 나눗셈식을 쓰고, 답을 구하세요.

현수는 쿠키 130개를 만들었습니다. 그 중에서 10개를 먹고, 나머지는 친구 5명에게 똑같이 나누어 주려고 합니다. 한 사람에게 몇 개씩 나누어 주면 될까요?

식 : 130 - 10 = 120 , 120 ÷ 5 = 24   **24** 개

소마 초등학교 3학년 학생은 144명입니다. 3학년 학생이 9줄로 서면, 한 줄에 몇 명씩 서게 될까요?

식 : 144 ÷ 9 = 16   **16** 명

연필이 9타 있습니다. 한 사람에게 4자루씩 나누어 준다면 몇 명에게 나누어 줄 수 있을까요?

식 : 9 × 12 = 108 , 108 ÷ 4 = 27   **27** 명

1주

P 22

🌱 다음을 읽고 알맞은 나눗셈식을 쓰고, 답을 구하세요.

공원에 남자 58명과 여자 68명이 있습니다. 공원에는 7명씩 앉을 수 있는 벤치가 있는데, 이 사람들이 모두 앉을 수 있습니다. 공원에 있는 벤치는 몇 개일까요?

식 : $58 + 68 = 126$, $126 \div 7 = 18$ 18 개

검은 바둑돌과 흰 바둑돌이 각각 110개씩 있습니다. 이 바둑돌을 5개씩 주머니에 담으면 주머니 몇 개에 모두 담을 수 있을까요?

식 : $110 + 110 = 220$, $220 \div 5 = 44$ 44 개

쪽수가 245쪽인 동화책이 있습니다. 수호가 일주일 동안 매일 같은 쪽수만큼 읽었더니 책을 다 읽었습니다. 수호는 매일 몇 쪽씩 읽었을까요?

식 : $245 \div 7 = 35$ 35 쪽

 **1 일 차**

세로셈 (1)

2주 일 일

P 24 ~ 25

🌱 각 자리의 위치를 맞추어 빈칸에 알맞은 수를 써넣으세요.

```
                    3              3 2 …… 몫
  6 ) 1 9 4     6 ) 1 9 4      6 ) 1 9 4
               →    1 8      →    1 8
                    1 4           1 4
                                  1 2
                                   2 …… 나머지
```

```
                   5              5 7
  3 ) 1 7 3     3 ) 1 7 3      3 ) 1 7 3
               →   1 5       →    1 5
                   2 3            2 3
                                 2 1
                                   2
```

```
                   5              5 8
  4 ) 2 3 3     4 ) 2 3 3      4 ) 2 3 3
               →   2 0       →    2 0
                   3 3            3 3
                                 3 2
                                   1
```

🌱 빈칸에 알맞은 수를 써넣으세요.

```
        3 2              6 4              8 8
  5 ) 1 6 2        3 ) 1 9 3        2 ) 1 7 7
      1 5              1 8              1 6
      1 2              1 3              1 7
      1 0              1 2              1 6
       2               1               1
```

```
        8 5              6 6              8 6
  3 ) 2 5 7        4 ) 2 6 5        4 ) 3 4 5
      2 4              2 4              3 2
      1 7              2 5              2 5
      1 5              2 4              2 4
       2               1               1
```

```
        6 3              4 7              5 2
  6 ) 3 7 9        5 ) 2 3 9        7 ) 3 6 8
      3 6              2 0              3 5
      1 9              3 9              1 8
      1 8              3 5              1 4
       1               4               4
```

정답

2주 2일차 세로셈 (2)

빈칸에 알맞은 수를 써넣으세요.

```
      8 9
  4 ) 3 5 7
      3 2
        3 7
        3 6
          1
```

```
      4 9
  5 ) 2 4 7
      2 0
        4 7
        4 5
          2
```

```
      3 3
  6 ) 2 0 0
      1 8
        2 0
        1 8
          2
```

```
      3 5
  7 ) 2 4 7
      2 1
        3 7
        3 5
          2
```

```
      8 5
  7 ) 5 9 8
      5 6
        3 8
        3 5
          3
```

```
      6 2
  9 ) 5 6 5
      5 4
        2 5
        1 8
          7
```

```
      4 2
  8 ) 3 4 0
      3 2
        2 0
        1 6
          4
```

```
      3 6
  9 ) 3 2 5
      2 7
        5 5
        5 4
          1
```

```
      8 8
  5 ) 4 4 3
      4 0
        4 3
        4 0
          3
```

각 자리의 위치를 맞추어 빈칸에 알맞은 수를 써넣으세요.

```
      6 5
  3 ) 1 9 7
      1 8
        1 7
        1 5
          2
```

```
      8 8
  2 ) 1 7 7
      1 6
        1 7
        1 6
          1
```

```
      8 4
  4 ) 3 3 8
      3 2
        1 8
        1 6
          2
```

```
      7 9
  5 ) 3 9 6
      3 5
        4 6
        4 5
          1
```

```
      7 5
  3 ) 2 2 7
      2 1
        1 7
        1 5
          2
```

```
      8 1
  5 ) 4 0 9
      4 0
          9
          5
          4
```

```
      7 4
  6 ) 4 4 5
      4 2
        2 5
        2 4
          1
```

```
      7 2
  7 ) 5 0 7
      4 9
        1 7
        1 4
          3
```

```
      6 7
  3 ) 2 0 2
      1 8
        2 2
        2 1
          1
```

2주 3일차 나눗셈 퍼즐

각 자리의 위치를 맞추어 빈칸에 알맞은 수를 써넣으세요.

```
      4 4
  5 ) 2 2 2
      2 0
        2 2
        2 0
          2
```

```
      4 5
  3 ) 1 3 6
      1 2
        1 6
        1 5
          1
```

```
      7 4
  4 ) 2 9 7
      2 8
        1 7
        1 6
          1
```

```
      4 9
  6 ) 2 9 7
      2 4
        5 7
        5 4
          3
```

```
      3 5
  8 ) 2 8 6
      2 4
        4 6
        4 0
          6
```

```
      8 6
  7 ) 6 0 5
      5 6
        4 5
        4 2
          3
```

```
      7 3
  5 ) 3 6 6
      3 5
        1 6
        1 5
          1
```

```
      4 5
  7 ) 3 1 8
      2 8
        3 8
        3 5
          3
```

```
      4 7
  6 ) 2 8 7
      2 4
        4 7
        4 2
          5
```

나눗셈을 하여 나머지가 같은 것끼리 선으로 이어보세요.

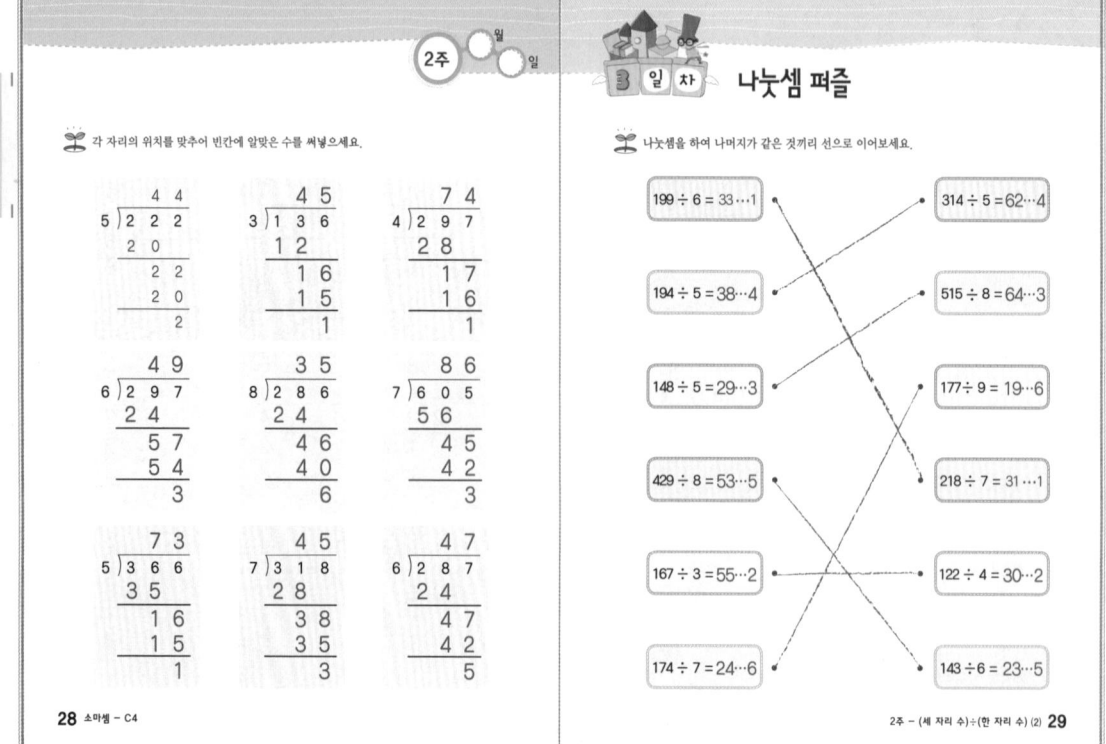

199 ÷ 6 = 33 ··· 1

194 ÷ 5 = 38 ··· 4

148 ÷ 5 = 29 ··· 3

429 ÷ 8 = 53 ··· 5

167 ÷ 3 = 55 ··· 2

174 ÷ 7 = 24 ··· 6

314 ÷ 5 = 62 ··· 4

515 ÷ 8 = 64 ··· 3

177 ÷ 9 = 19 ··· 6

218 ÷ 7 = 31 ··· 1

122 ÷ 4 = 30 ··· 2

143 ÷ 6 = 23 ··· 5

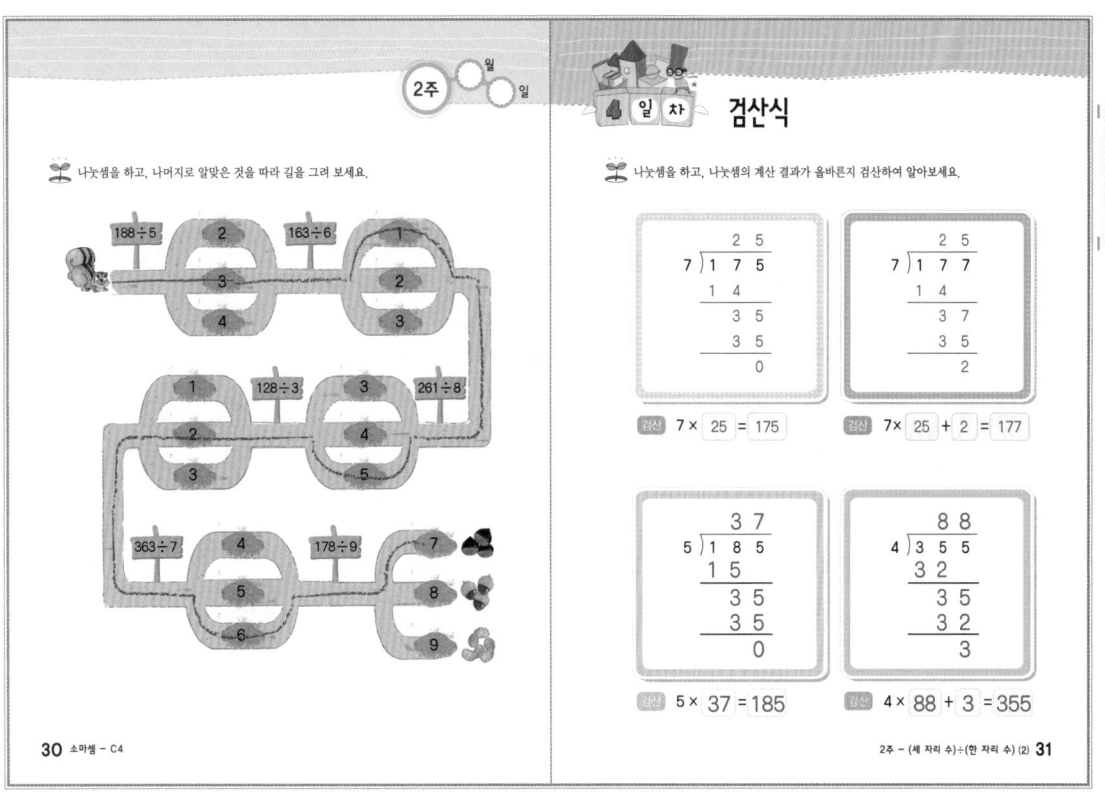

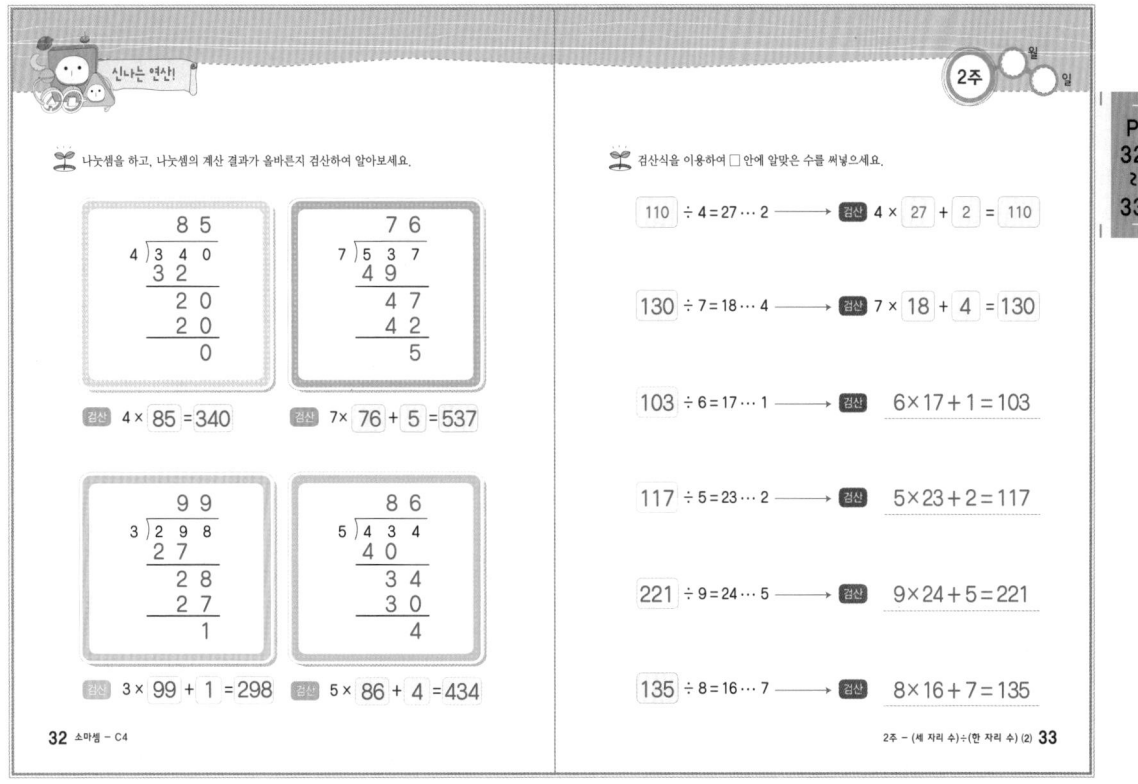

5 일 차 문장제

🌱 다음을 읽고 알맞은 나눗셈식을 쓰고, 답을 구하세요.

영진이는 장미 213송이를 꽃병 한 개에 5송이씩 꽂으려고 합니다. 남은 것이 없이 모두 꽂으려면 적어도 꽃병이 몇 개가 필요할까요?

식 : 213÷5=42 … 3

43 개

문구점에서 공책 256권을 한 줄에 9권씩 쌓아 놓았습니다. 쌓아 놓은 공책은 몇 줄이되고, 남은 공책은 몇 권일까요?

식 : 256÷9=28 … 4

28 줄, 4 권

TIP
위의 문제 213÷5=42…3에서 5송이씩 꽃병에 꽂으면 꽃병이 42개가 남고, 남은 3송이도 꽃병에 꽂아야 하므로 꽃병은 적어도 42+1=43(개)가 필요합니다.

34 소마셈 - C4

🌱 다음을 읽고 알맞은 나눗셈식을 쓰고, 답을 구하세요.

과수원에 참외 138개가 있었습니다. 그 중 8개는 썩어 버리고, 남은 참외를 7개씩 봉지에 모두 담으려고 합니다. 적어도 몇 개의 봉지가 필요할까요?

식 : 138-8=130, 130÷7=18 … 4

19 봉지

연필 12타를 5명의 학생에게 나누어 주었습니다. 학생들에게 나누어 주고 남은 연필은몇 자루일까요?

식 : 12×12=144, 144÷5=28 … 4

4 자루

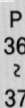 

🌱 다음을 읽고 알맞은 나눗셈식을 쓰고, 답을 구하세요.

현진이는 쿠키 139개를 만들었습니다. 자신과 6명의 친구가 똑같이 나누어 갖고, 남은것은 동생에게 주려고 합니다. 동생에게 몇 개의 쿠키를 줄 수 있을까요?

식 : 139÷7=19 … 6

6 개

연필이 25개씩 5묶음 있습니다. 이 연필을 학생들에게 6개씩 똑같이 나누어 주면 몇명에게 나누어 줄 수 있고, 몇 개가 남을까요?

식 : 25×5=125,
　　125÷6=20 … 5

20 명, 5 개

2시 7분부터 7분마다 불이 반짝거리는 전구가 있습니다. 2시부터 4시까지 2시간 동안전구에서 불이 몇 번 반짝거릴까요?

식 : 2×60=120, 120÷7=17 … 1

17 번

36 소마셈 - C4

🌱 다음을 읽고 알맞은 나눗셈식을 쓰고, 답을 구하세요.

소마초등학교 3학년 118명의 학생과 6명의 선생님이 소풍을 가서 모두 돗자리에 앉으려고 합니다. 5명씩 돗자리에 앉을 수 있다면 돗자리는 적어도 몇 개 필요할까요?

식 : 118+6=124, 124÷5=24 … 4

25 개

길이가 290cm인 색 테이프를 한 도막이 8cm가 되도록 잘라서 꽃을 만들려고 합니다.꽃을 만들고 남은 색 테이프는 몇 cm일까요?

식 : 290÷8=36 … 2

2 cm

민수는 송편 123개를 한 상자에 7개씩 나누어 담고 남은 것은 다 먹었습니다. 민수가먹은 송편은 몇 개일까요?

식 : 123÷7=17 … 4

4 개

1일차 약속

다음 도형이 나타내는 규칙에 맞게 계산해 보세요.

규칙 ㉠ ◎ ㉡ = (㉠ ÷ 2) + (㉠ × ㉡)

$$48 ◎ 2 = (48 ÷ 2) + (48 × 2)$$
$$= 24 + 96$$
$$= 120$$

$$51 ◎ 3 = (51 ÷ 3) + (51 × 3)$$
$$= 17 + 153$$
$$= 170$$

규칙 ㉠ ★ ㉡ = ㉡ ÷ ㉠ × 4

$$2 ★ 38 = 38 ÷ 2 × 4$$
$$= 19 × 4$$
$$= 76$$

$$5 ★ 60 = 60 ÷ 5 × 4$$
$$= 12 × 4$$
$$= 48$$

TIP 앞에서부터 차례로 계산하고, ( )가 있는 경우에는 ( ) 안을 가장 먼저 계산한 후 앞에서부터 차례로 계산합니다.

다음 도형이 나타내는 규칙에 맞게 계산해 보세요.

규칙 ㉠ ◆ ㉡ = ㉠ ÷ ㉡ × 6

$$27 ◆ 3 = 27 ÷ 3 × 6$$
$$= 9 × 6$$
$$= 54$$

$$48 ◆ 8 = 48 ÷ 8 × 6$$
$$= 6 × 6$$
$$= 36$$

규칙 ㉠ ◼ ㉡ = (㉠ × ㉡) − (㉠ ÷ ㉡)

$$36 ◼ 4 = (36 × 4) − (36 ÷ 4)$$
$$= 144 − 9$$
$$= 135$$

$$55 ◼ 5 = (55 × 5) − (55 ÷ 5)$$
$$= 275 − 11$$
$$= 264$$

규칙 ㉠ ♥ ㉡ = (㉠ ÷ ㉡) + (㉠ × 3)

$$52 ♥ 2 = (52 ÷ 2) + (52 × 3)$$
$$= 26 + 156$$
$$= 182$$

$$49 ♥ 7 = (49 ÷ 7) + (49 × 3)$$
$$= 7 + 147$$
$$= 154$$

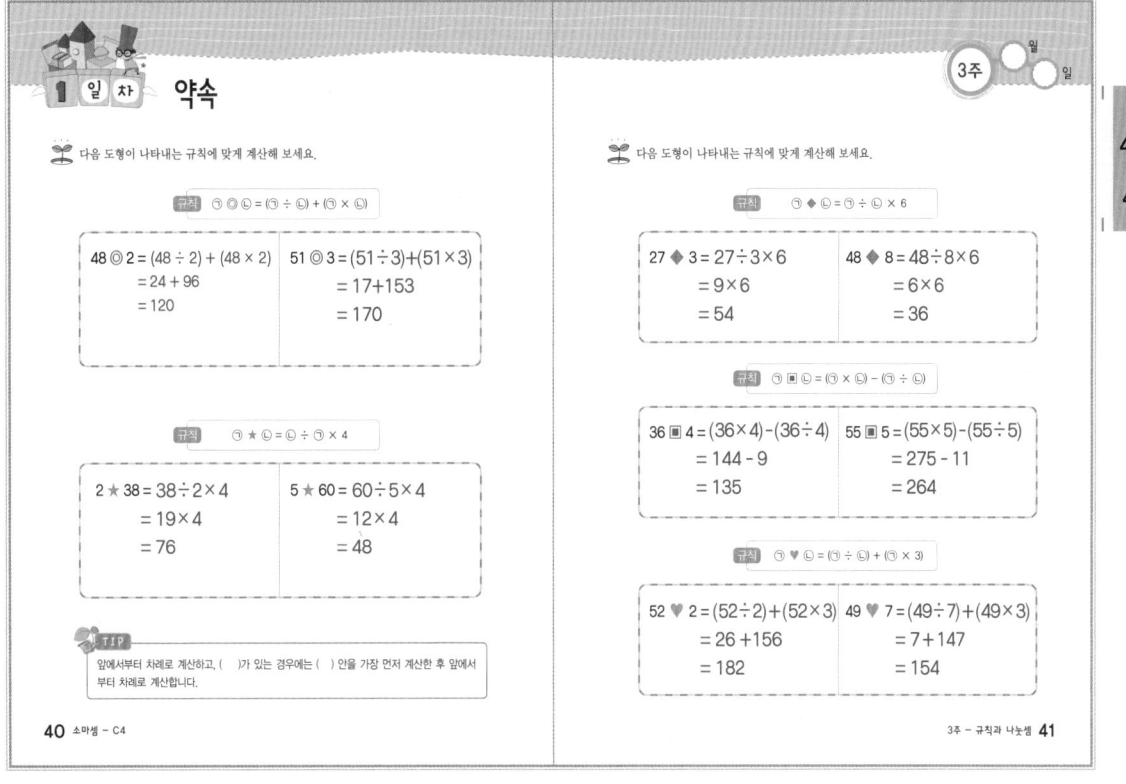

2일차 화살표 약속

화살표 규칙에 맞게 계산하여 빈칸에 알맞은 수를 써넣고, 어떤 규칙이 있는지 알아보세요.

→ ×3
→ ÷3
$26 \xrightarrow{×3} 78 \xrightarrow{÷3} 26$

→ ×4
→ ÷4
$37 → 148 → 37$

→ ×6
→ ÷6
$24 → 4 → 24$

→ ×2
→ ÷2
$48 → 96 → 48 → 96 → 48$

→ ×3
→ ÷3
$63 → 21 → 63 → 21 → 63$

TIP 예를 들어 7×3÷3=7인 것과 같이 어떤 수에 같은 수를 곱하고, 나누면 다시 처음 수와 같아짐을 알 수 있습니다.

화살표 규칙에 맞게 계산하여 빈칸에 알맞은 수를 써넣으세요.

→ ×2
→ ÷2
$26 \nearrow \nearrow \searrow \xrightarrow{×2} 52$
$26 × 2 = 52$

→ ×3
→ ÷3
$42 \nearrow \nearrow \nearrow → 126$

→ ×5
→ ÷5
$60 \nearrow \nearrow \nearrow → 12$

→ ×6
→ ÷6
$34 \nearrow \nearrow \nearrow \nearrow → 204$

→ ×2
→ ÷2
$58 \nearrow \nearrow \nearrow \nearrow \nearrow → 29$

TIP 보기에서 26×2÷2=26이므로 빨간색 화살표와 파란색 화살표를 한 쌍 지우고 남은 화살표만 계산하면 결과값을 쉽게 구할 수 있습니다.

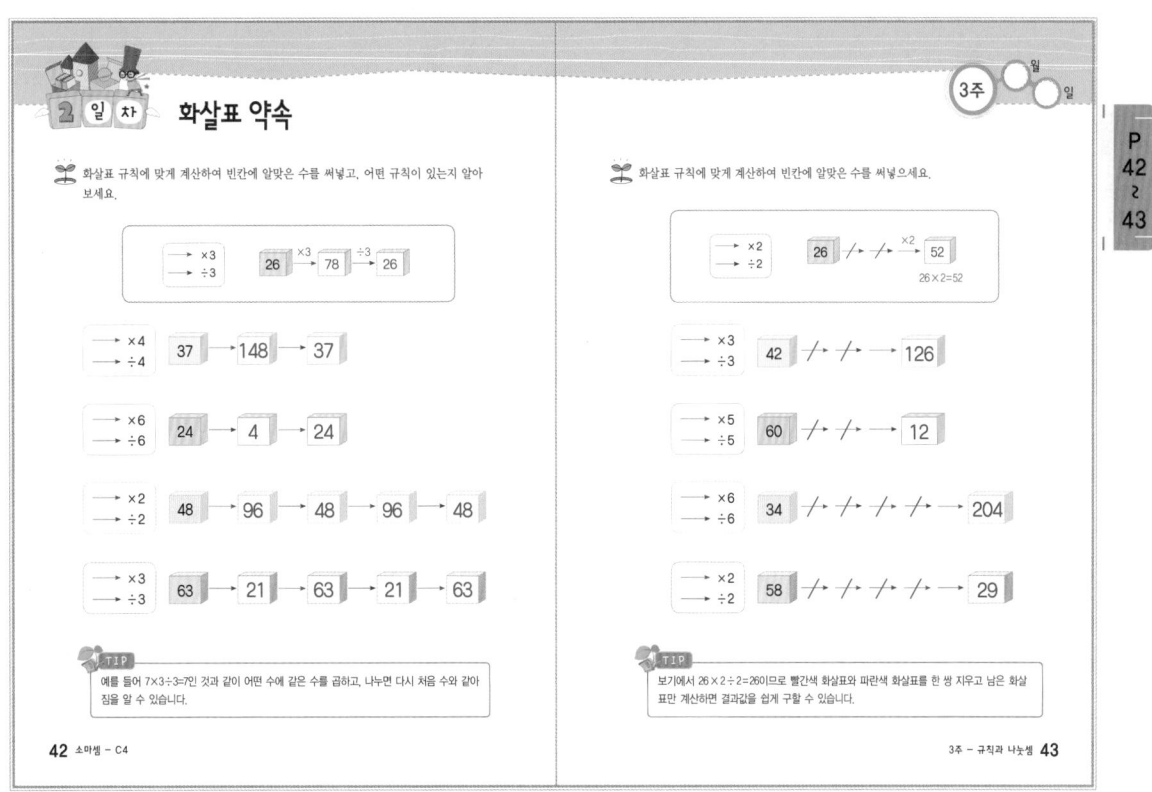

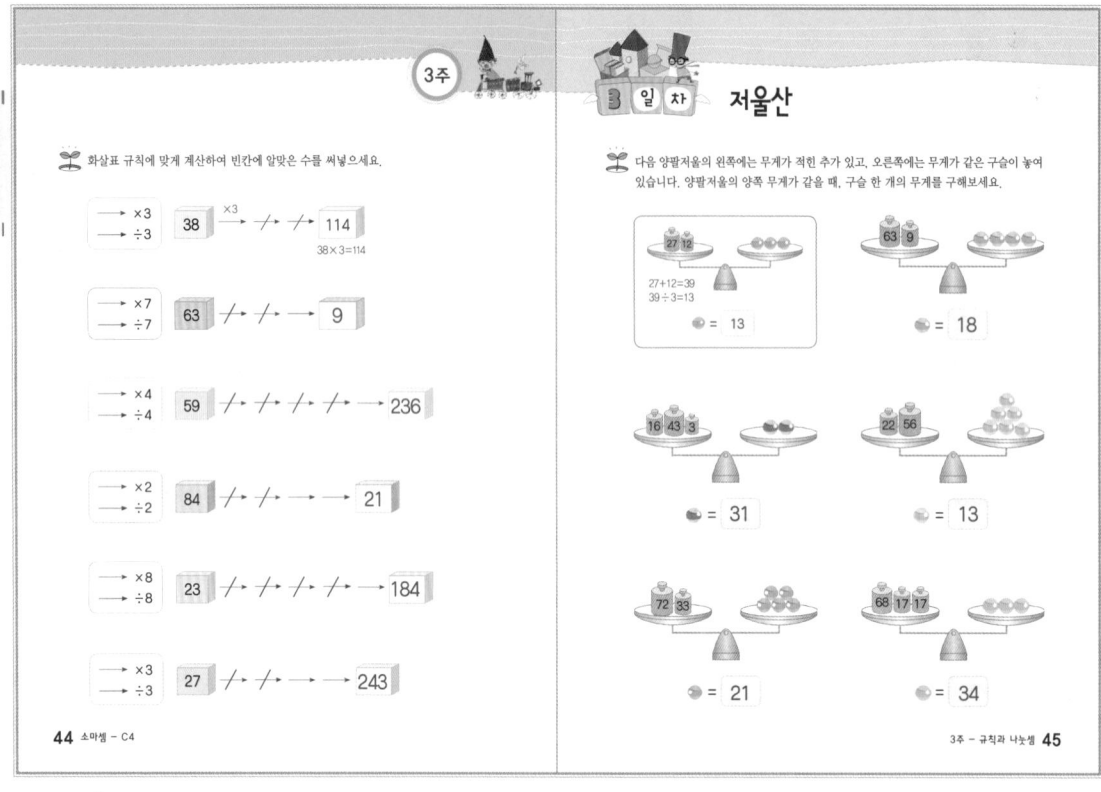

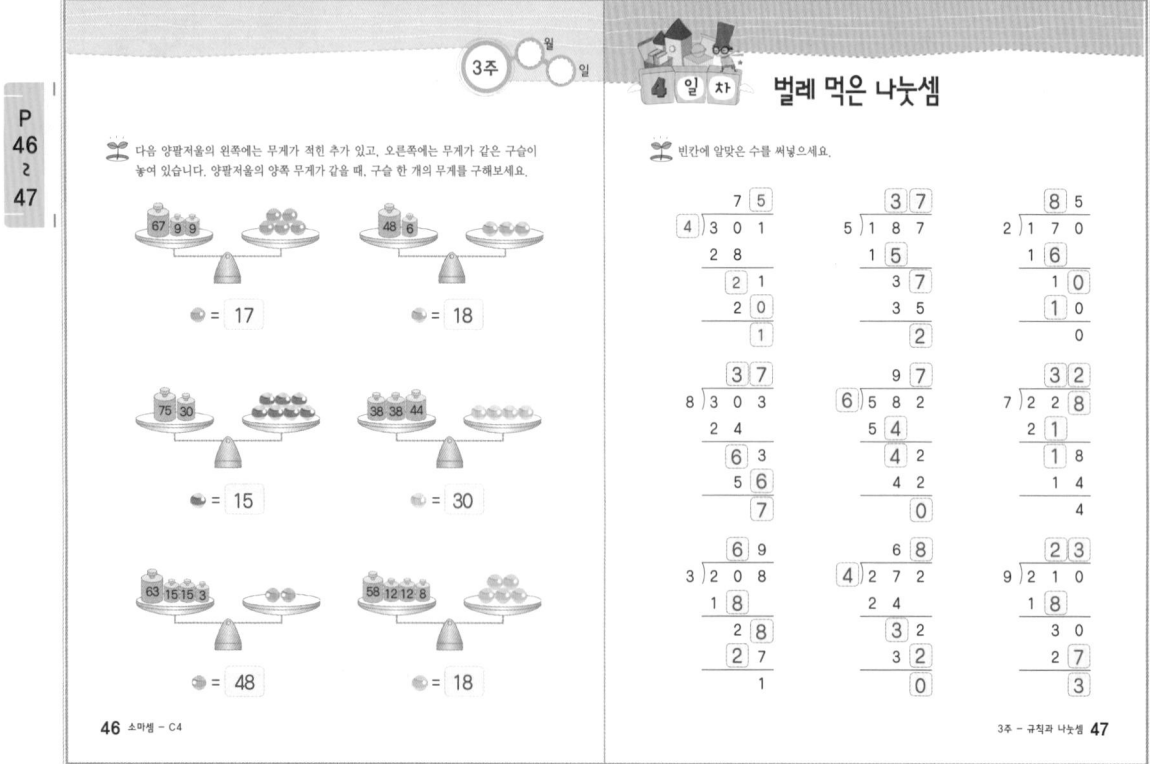

화살표 규칙에 맞게 계산하여 빈칸에 알맞은 수를 써넣으세요.

→ ×3
→ ÷3   38   ×3 /÷ /÷ → 114
                    38 × 3 = 114

→ ×7
→ ÷7   63   /÷ /÷ /÷ → 9

→ ×4
→ ÷4   59   /÷ /÷ /÷ /÷ → 236

→ ×2
→ ÷2   84   /÷ /÷ /÷ → 21

→ ×8
→ ÷8   23   /÷ /÷ /÷ → 184

→ ×3
→ ÷3   27   /÷ /÷ /÷ → 243

44 소마셈 – C4

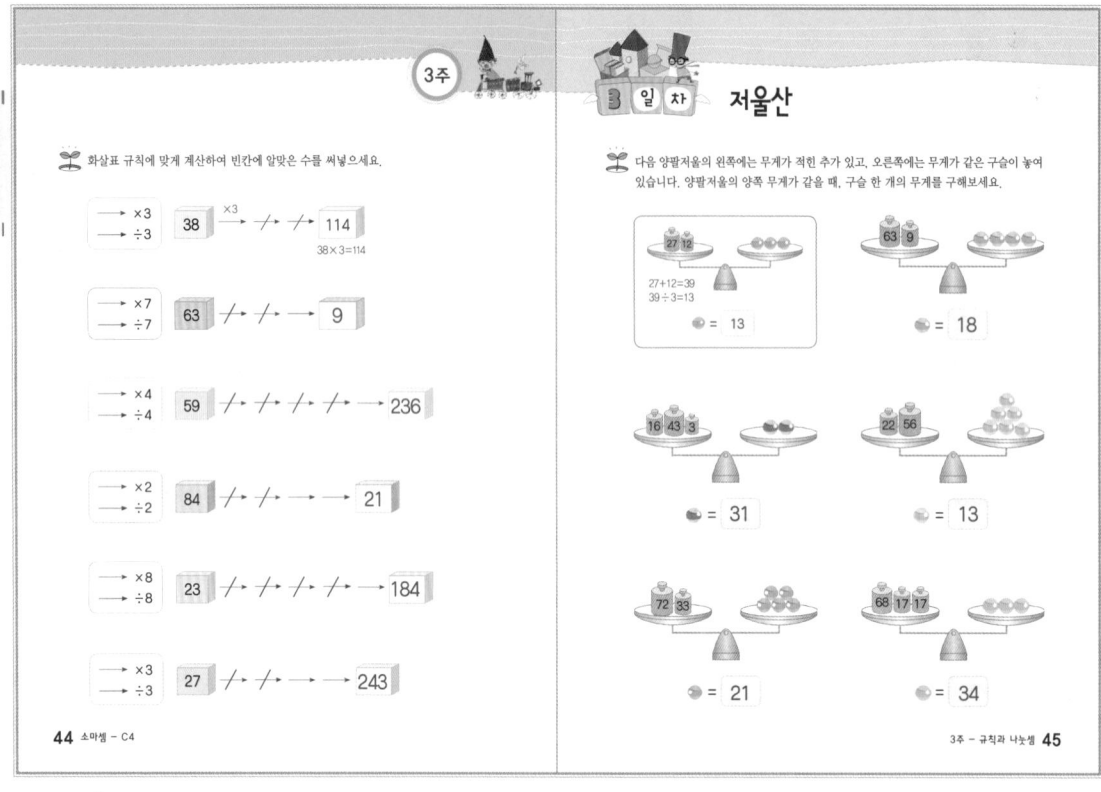

3일차 저울산

다음 양팔저울의 왼쪽에는 무게가 적힌 추가 있고, 오른쪽에는 무게가 같은 구슬이 놓여 있습니다. 양팔저울의 양쪽 무게가 같을 때, 구슬 한 개의 무게를 구해보세요.

27 12 → 27+12=39 39÷3=13   = 13
63 9   = 18
16 43 3   = 31
22 56   = 13
72 33   = 21
68 17 17   = 34

3주 – 규칙과 나눗셈 45

다음 양팔저울의 왼쪽에는 무게가 적힌 추가 있고, 오른쪽에는 무게가 같은 구슬이 놓여 있습니다. 양팔저울의 양쪽 무게가 같을 때, 구슬 한 개의 무게를 구해보세요.

67 9 9   = 17
48 6   = 18
75 30   = 15
38 38 44   = 30
63 15 15 3   = 48
58 12 12 8   = 18

46 소마셈 – C4

4일차 벌레 먹은 나눗셈

빈칸에 알맞은 수를 써넣으세요.

```
      7 5
  4 ) 3 0 1
      2 8
      2 1
      2 0
        1
```

```
      3 7
  5 ) 1 8 7
      1 5
      3 7
      3 5
        2
```

```
      8 5
  2 ) 1 7 0
      1 6
      1 0
      1 0
        0
```

```
      3 7
  8 ) 3 0 3
      2 4
      6 3
      5 6
        7
```

```
      9 7
  6 ) 5 8 2
      5 4
      4 2
      4 2
        0
```

```
      3 2
  7 ) 2 2 8
      2 1
      1 8
      1 4
        4
```

```
      6 9
  3 ) 2 0 8
      1 8
      2 8
      2 7
        1
```

```
      6 8
  4 ) 2 7 2
      2 4
      3 2
      3 2
        0
```

```
      2 3
  9 ) 2 1 0
      1 8
      3 0
      2 7
        3
```

3주 – 규칙과 나눗셈 47

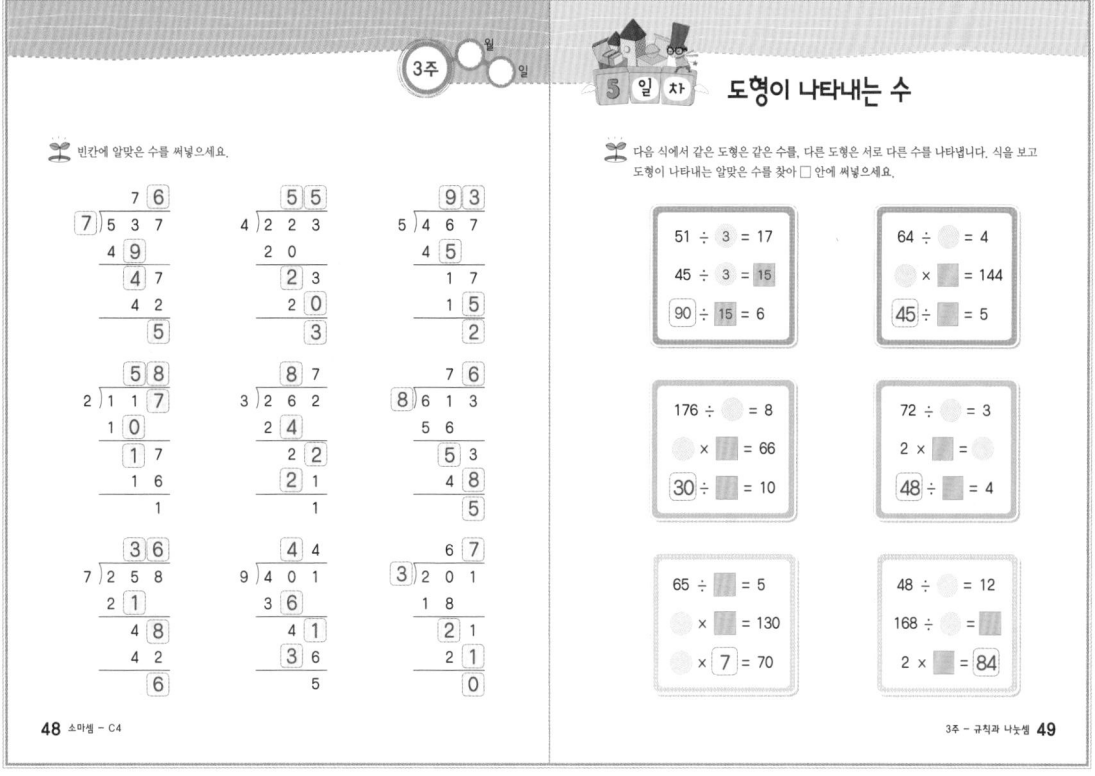

5일차 도형이 나타내는 수

빈칸에 알맞은 수를 써넣으세요.

다음 식에서 같은 도형은 같은 수를, 다른 도형은 서로 다른 수를 나타냅니다. 식을 보고 도형이 나타내는 알맞은 수를 찾아 □ 안에 써넣으세요.

P 48 ~ 49

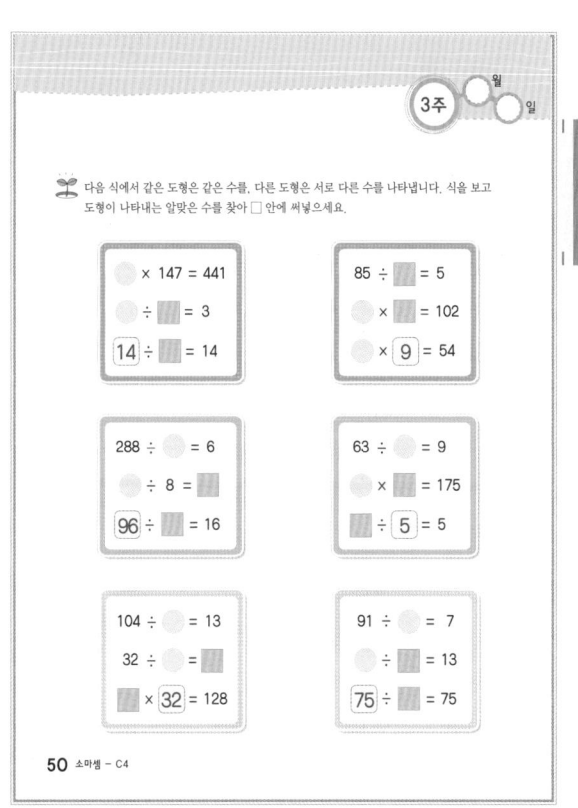

다음 식에서 같은 도형은 같은 수를, 다른 도형은 서로 다른 수를 나타냅니다. 식을 보고 도형이 나타내는 알맞은 수를 찾아 □ 안에 써넣으세요.

P 50

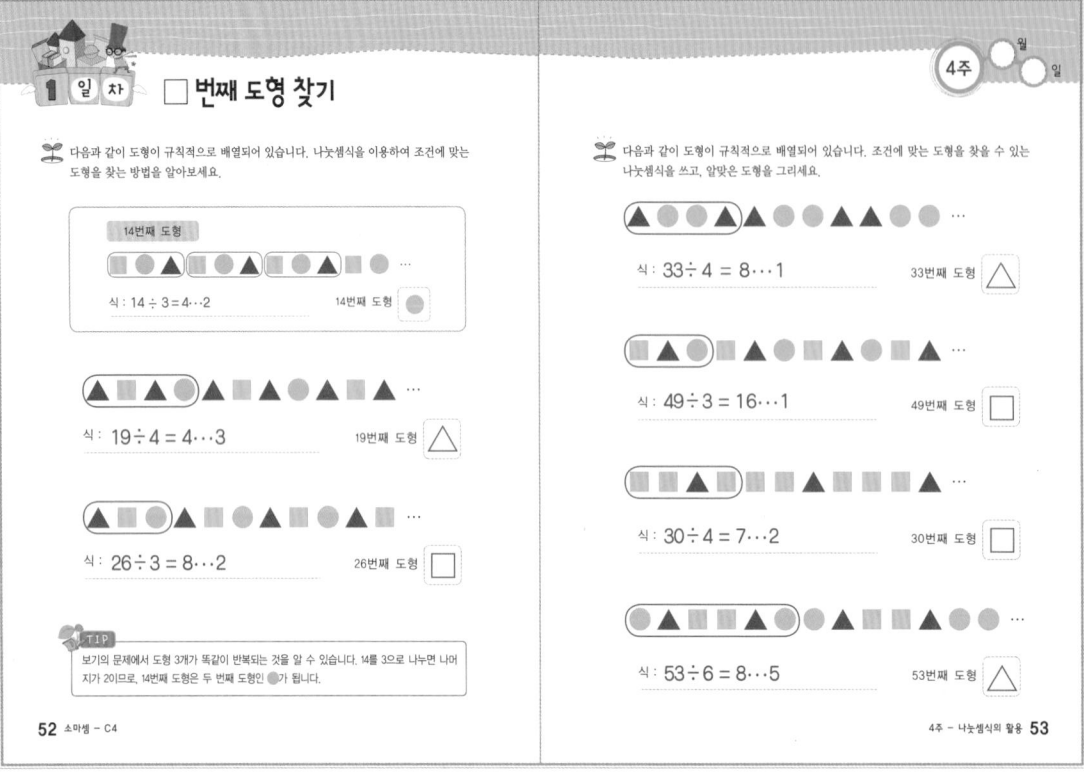

P 52 ~ 53

1일차 □번째 도형 찾기

다음과 같이 도형이 규칙적으로 배열되어 있습니다. 나눗셈식을 이용하여 조건에 맞는 도형을 찾는 방법을 알아보세요.

14번째 도형

식 : $14 \div 3 = 4 \cdots 2$

14번째 도형 ●

식 : $19 \div 4 = 4 \cdots 3$

19번째 도형 △

식 : $26 \div 3 = 8 \cdots 2$

26번째 도형 □

TIP
보기의 문제에서 도형 3개가 똑같이 반복되는 것을 알 수 있습니다. 14를 3으로 나누면 나머지가 2이므로, 14번째 도형은 두 번째 도형인 ●가 됩니다.

52 소마셈 - C4

다음과 같이 도형이 규칙적으로 배열되어 있습니다. 조건에 맞는 도형을 찾을 수 있는 나눗셈식을 쓰고, 알맞은 도형을 그리세요.

4주 월 일

식 : $33 \div 4 = 8 \cdots 1$

33번째 도형 △

식 : $49 \div 3 = 16 \cdots 1$

49번째 도형 □

식 : $30 \div 4 = 7 \cdots 2$

30번째 도형 □

식 : $53 \div 6 = 8 \cdots 5$

53번째 도형 △

4주 - 나눗셈식의 활용 53

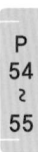

P 54 ~ 55

4주

다음과 같이 도형이 규칙적으로 배열되어 있습니다. 조건에 맞는 도형을 찾을 수 있는 나눗셈식을 쓰고, 알맞은 도형을 그리세요.

식 : $46 \div 3 = 15 \cdots 1$

46번째 도형 ☆

식 : $59 \div 5 = 11 \cdots 4$

59번째 도형 ♡

식 : $62 \div 4 = 15 \cdots 2$

62번째 도형 ◇

식 : $73 \div 6 = 12 \cdots 1$

73번째 도형 ◇

54 소마셈 - C4

2일차 바퀴의 개수

두발자전거와 세발자전거가 있습니다. 다음 글을 읽고, 세발자전거의 수를 구해보세요.

바퀴 수가 모두 63개입니다. 두발자전거가 15대라면, 세발자전거는 몇 대일까요?

① 두발자전거 15대의 바퀴 수 = $2 \times 15 = 30$ 개

② 세발자전거의 바퀴 수 = $63 - 30 = 33$ 개

③ 세발자전거의 수 = $33 \div 3 = 11$ 대

바퀴 수가 모두 58개입니다. 두발자전거가 17대라면, 세발자전거는 몇 대일까요?

① 두발자전거 17대의 바퀴 수 = $2 \times 17 = 34$ 개

② 세발자전거의 바퀴 수 = $58 - 34 = 24$ 개

③ 세발자전거의 수 = $24 \div 3 = 8$ 대

4주 - 나눗셈식의 활용 55

세발자전거와 승용차가 있습니다. 다음 글을 읽고, 승용차의 수를 구해보세요.

바퀴 수가 모두 64개입니다. 세발자전거가 12대라면, 승용차는 몇 대일까요?

① 세발자전거 12대의 바퀴 수 = $3 \times 12 = 36$ 개

② 승용차의 바퀴 수 = $64 - 36 = 28$ 개

③ 승용차의 수 = $28 \div 4 = 7$ 대

바퀴 수가 모두 78개입니다. 세발자전거가 18대라면, 승용차는 몇 대일까요?

① 세발자전거 18대의 바퀴 수 = $3 \times 18 = 54$ 개

② 승용차의 바퀴 수 = $78 - 54 = 24$ 개

③ 승용차의 수 = $24 \div 4 = 6$ 대

56 소마셈 – C4

말과 오리가 있습니다. 다음 글을 읽고, 오리의 수를 구해보세요.

다리 수가 모두 56개입니다. 말이 8마리라면, 오리는 몇 마리일까요?

① 말 8마리의 다리 수 = $4 \times 8 = 32$ 개

② 오리의 다리 수 = $56 - 32 = 24$ 개

③ 오리의 수 = $24 \div 2 = 12$ 마리

다리 수가 모두 84개입니다. 말이 13마리라면, 오리는 몇 마리일까요?

① 말 13마리의 다리 수 = $4 \times 13 = 52$ 개

② 오리의 다리 수 = $84 - 52 = 32$ 개

③ 오리의 수 = $32 \div 2 = 16$ 마리

4주 – 나눗셈식의 활용 57

4주

개미와 고양이가 있습니다. 다음 글을 읽고, 개미의 수를 구해보세요.

다리 수가 모두 60개입니다. 고양이가 9마리라면, 개미는 몇 마리일까요?

① 고양이 9마리의 다리 수 = $4 \times 9 = 36$ 개

② 개미의 다리 수 = $60 - 36 = 24$ 개

③ 개미의 수 = $24 \div 6 = 4$ 마리

다리 수가 모두 82개입니다. 고양이가 16마리라면, 개미는 몇 마리일까요?

① 고양이 16마리의 다리 수 = $4 \times 16 = 64$ 개

② 개미의 다리 수 = $82 - 64 = 18$ 개

③ 개미의 수 = $18 \div 6 = 3$ 마리

58 소마셈 – C4

 **3 일차** **가로수 심기**

일정한 간격으로 도로 한쪽에 가로수가 심어져 있습니다. 다음 글을 읽고, 가로수의 수를 구해보세요.

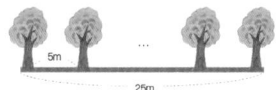

① 가로수와 가로수 사이의 간격 수 = $25 \div 5 = 5$ 군데

② 가로수의 수 = $5 + 1 = 6$ 그루

① 가로수와 가로수 사이의 간격 수 = $54 \div 6 = 9$ 군데

② 가로수의 수 = $9 + 1 = 10$ 그루

TIP
위와 같이 도로 한쪽에 가로수를 심을 때, 처음과 끝에도 가로수가 있으므로 가로수의 수는 간격의 수보다 1개 더 많습니다.

4주 – 나눗셈식의 활용 59

정답 **101**

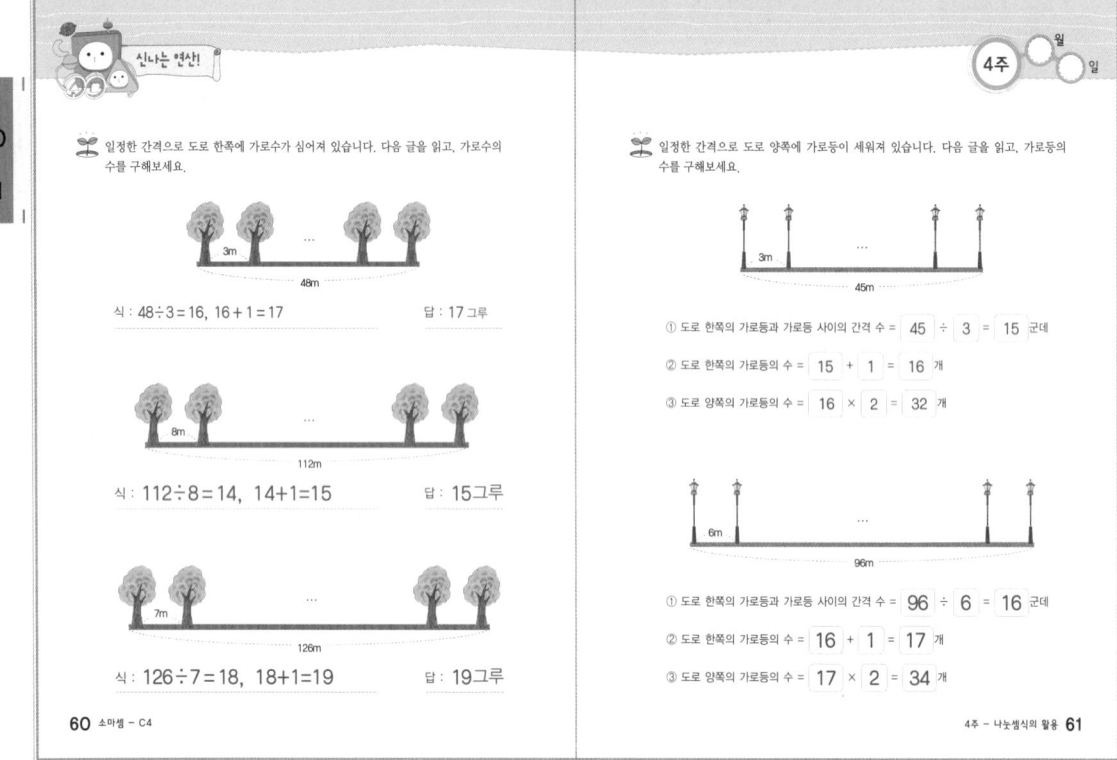

P 60 ~ 61

🌱 일정한 간격으로 도로 한쪽에 가로수가 심어져 있습니다. 다음 글을 읽고, 가로수의 수를 구해보세요.

식 : 48÷3=16, 16+1=17   답 : 17 그루

식 : 112÷8=14, 14+1=15   답 : 15그루

식 : 126÷7=18, 18+1=19   답 : 19그루

🌱 일정한 간격으로 도로 양쪽에 가로등이 세워져 있습니다. 다음 글을 읽고, 가로등의 수를 구해보세요.

① 도로 한쪽의 가로등과 가로등 사이의 간격 수 = 45 ÷ 3 = 15 군데

② 도로 한쪽의 가로등의 수 = 15 + 1 = 16 개

③ 도로 양쪽의 가로등의 수 = 16 × 2 = 32 개

① 도로 한쪽의 가로등과 가로등 사이의 간격 수 = 96 ÷ 6 = 16 군데

② 도로 한쪽의 가로등의 수 = 16 + 1 = 17 개

③ 도로 양쪽의 가로등의 수 = 17 × 2 = 34 개

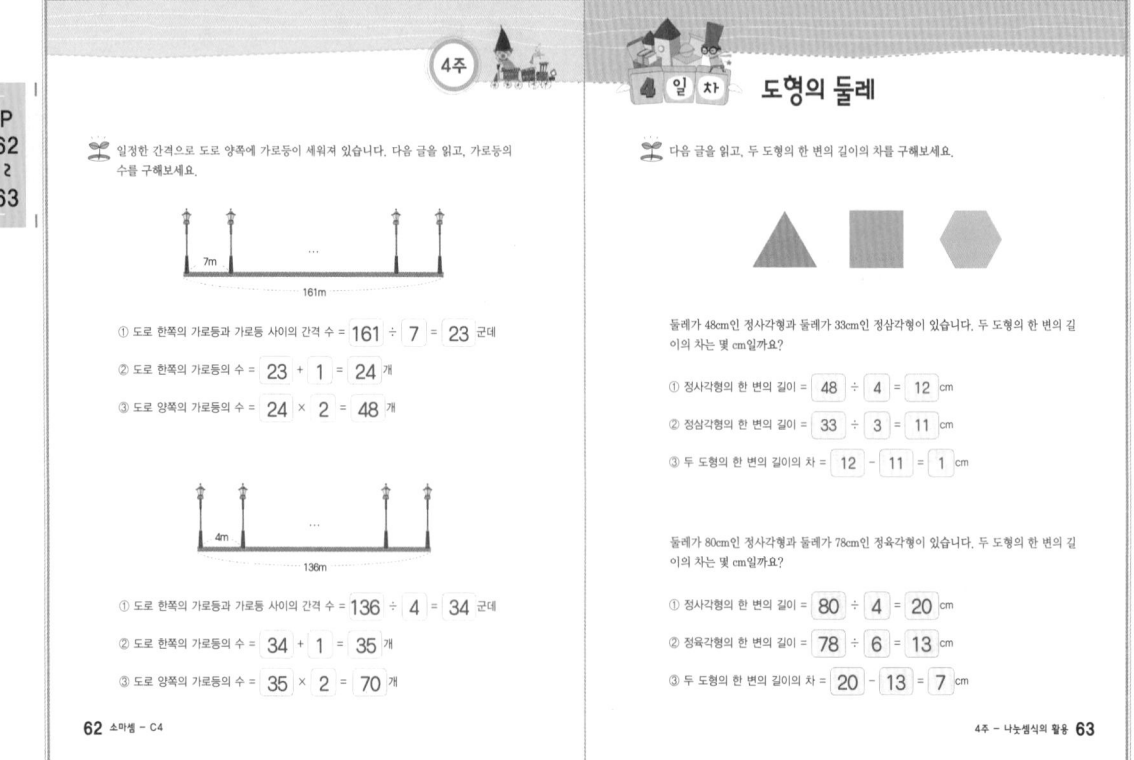

P 62 ~ 63

🌱 일정한 간격으로 도로 양쪽에 가로등이 세워져 있습니다. 다음 글을 읽고, 가로등의 수를 구해보세요.

① 도로 한쪽의 가로등과 가로등 사이의 간격 수 = 161 ÷ 7 = 23 군데

② 도로 한쪽의 가로등의 수 = 23 + 1 = 24 개

③ 도로 양쪽의 가로등의 수 = 24 × 2 = 48 개

① 도로 한쪽의 가로등과 가로등 사이의 간격 수 = 136 ÷ 4 = 34 군데

② 도로 한쪽의 가로등의 수 = 34 + 1 = 35 개

③ 도로 양쪽의 가로등의 수 = 35 × 2 = 70 개

도형의 둘레

4 일 차

🌱 다음 글을 읽고, 두 도형의 한 변의 길이의 차를 구해보세요.

둘레가 48cm인 정사각형과 둘레가 33cm인 정삼각형이 있습니다. 두 도형의 한 변의 길이의 차는 몇 cm일까요?

① 정사각형의 한 변의 길이 = 48 ÷ 4 = 12 cm

② 정삼각형의 한 변의 길이 = 33 ÷ 3 = 11 cm

③ 두 도형의 한 변의 길이의 차 = 12 - 11 = 1 cm

둘레가 80cm인 정사각형과 둘레가 78cm인 정육각형이 있습니다. 두 도형의 한 변의 길이의 차는 몇 cm일까요?

① 정사각형의 한 변의 길이 = 80 ÷ 4 = 20 cm

② 정육각형의 한 변의 길이 = 78 ÷ 6 = 13 cm

③ 두 도형의 한 변의 길이의 차 = 20 - 13 = 7 cm

다음 글을 읽고, 두 도형의 한 변의 길이의 차를 구해보세요.

둘레가 60cm인 정삼각형과 둘레가 44cm인 정사각형이 있습니다. 두 도형의 한 변의 길이의 차는 몇 cm일까요?

식 : 60÷3=20, 44÷4=11, 20-11=9   답 : 9cm

둘레가 124cm인 정사각형과 둘레가 84cm인 정육각형이 있습니다. 두 도형의 한 변의 길이의 차는 몇 cm일까요?

식 : 124÷4=31, 84÷6=14, 31-14=17   답 : 17cm

둘레가 135cm인 정오각형과 둘레가 78cm인 정삼각형이 있습니다. 두 도형의 한 변의 길이의 차는 몇 cm일까요?

식 : 135÷5=27, 78÷3=26, 27-26=1   답 : 1cm

둘레가 135cm인 정삼각형과 둘레가 150cm인 정육각형이 있습니다. 두 도형의 한 변의 길이의 차는 몇 cm일까요?

식 : 135÷3=45, 150÷6=25, 45-25=20   답 : 20cm

64 소마셈 - C4

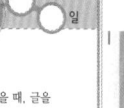

크기가 같은 도형을 이어 붙여 만든 도형입니다. 각 도형의 둘레가 다음과 같을 때, 글을 읽고 색칠한 부분의 둘레를 구해보세요.

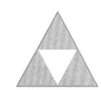

도형의 둘레 : 48cm

① 정삼각형의 한 변의 길이
= 48 ÷ 6 = 8 cm
② 색칠한 부분의 둘레
= 8 × 9 = 72 cm

도형의 둘레 : 72cm

① 정삼각형의 한 변의 길이
= 72 ÷ 6 = 12 cm
② 색칠한 부분의 둘레
= 12 × 6 = 72 cm

도형의 둘레 : 70cm

① 정사각형의 한 변의 길이
= 70 ÷ 10 = 7 cm
② 색칠한 부분의 둘레
= 7 × 8 = 56 cm

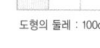

도형의 둘레 : 100cm

① 정사각형의 한 변의 길이
= 100 ÷ 10 = 10 cm
② 색칠한 부분의 둘레
= 10 × 8 = 80 cm

4주 - 나눗셈식의 활용 65

4주

크기가 같은 도형을 이어 붙여 만든 도형입니다. 각 도형의 둘레가 다음과 같을 때, 글을 읽고 색칠한 부분의 둘레를 구해보세요.

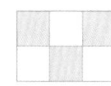

도형의 둘레 : 80cm

식 : 80÷10=8, 8×12=96

답 : 96cm

도형의 둘레 : 96cm

식 : 96÷8=12, 12×6=72

답 : 72cm

도형의 둘레 : 56cm

식 : 56÷8=7, 7×9=63

답 : 63cm

TIP

도형의 한 변의 길이를 먼저 구한 후, 색칠한 부분의 둘레를 구합니다.

66 소마셈 - C4

S 일 차   □가 있는 식 만들기

다음을 읽고 □를 사용하여 식을 만들고, 바르게 계산한 값을 구하세요.

어떤 수를 5로 나누어야 할 것을 잘못하여 3으로 나누었더니 몫이 12이고, 나머지가 2였습니다. 바르게 계산하면 몫과 나머지는 각각 얼마일까요?

잘못된 계산 : □ ÷ 3 = 12…2, □ = 3 × 12 + 2 = 38

바른 계산 : 38 ÷ 5 = 7…3   7 . 3

어떤 수를 2로 나누어야 할 것을 잘못하여 6으로 나누었더니 몫이 10이고, 나머지가 3이었습니다. 바르게 계산하면 몫과 나머지는 각각 얼마일까요?

잘못된 계산 : □ ÷ 6 = 10…3, □ = 6 × 10 + 3 = 63

바른 계산 : 63 ÷ 2 = 31…1   31 . 1

TIP

어떤 수를 □로 놓고 식을 만듭니다. 잘못된 계산을 이용하여 □를 먼저 구할 때, 검산식을 이용합니다.

4주 - 나눗셈식의 활용 67

정답 103

P 68 ~ 69

🌱 다음을 읽고 ☐를 사용하여 식을 만들고, 바르게 계산한 값을 구하세요.

어떤 수를 4로 나누어야 할 것을 잘못하여 5로 나누었더니 몫이 8이고, 나머지가 2였습니다. 바르게 계산하면 몫과 나머지는 각각 얼마일까요?

잘못된 계산 : $☐ \div 5 = 8 \cdots 2$, $☐ = 5 \times 8 + 2 = 42$

바른 계산 : $42 \div 4 = 10 \cdots 2$

10 · 2

어떤 수를 7로 나누어야 할 것을 잘못하여 3으로 나누었더니 몫이 11이고, 나머지가 1이었습니다. 바르게 계산하면 몫과 나머지는 각각 얼마일까요?

잘못된 계산 : $☐ \div 3 = 11 \cdots 1$, $☐ = 3 \times 11 + 1 = 34$

바른 계산 : $34 \div 7 = 4 \cdots 6$

4 · 6

🌱 다음을 읽고 ☐를 사용하여 식을 만들고, 바르게 계산한 값을 구하세요.

어떤 수를 3으로 나누어야 할 것을 잘못하여 8로 나누었더니 몫이 9이고, 나머지가 5였습니다. 바르게 계산하면 몫과 나머지는 각각 얼마일까요?

잘못된 계산 : $☐ \div 8 = 9 \cdots 5$, $☐ = 8 \times 9 + 5 = 77$

바른 계산 : $77 \div 3 = 25 \cdots 2$

25 · 2

어떤 수를 9로 나누어야 할 것을 잘못하여 6으로 나누었더니 몫이 13이고, 나머지가 4였습니다. 바르게 계산하면 몫과 나머지는 각각 얼마일까요?

잘못된 계산 : $☐ \div 6 = 13 \cdots 4$, $☐ = 6 \times 13 + 4 = 82$

바른 계산 : $82 \div 9 = 9 \cdots 1$

9 · 1

어떤 수를 4로 나누어야 할 것을 잘못하여 6으로 나누었더니 몫이 12이고, 나머지가 3이었습니다. 바르게 계산하면 몫과 나머지는 각각 얼마일까요?

잘못된 계산 : $☐ \div 6 = 12 \cdots 3$, $☐ = 6 \times 12 + 3 = 75$

바른 계산 : $75 \div 4 = 18 \cdots 3$

18 · 3

68 소마셈 – C4

4주 – 나눗셈식의 활용 **69**

P 70

🌱 다음을 읽고 ☐를 사용하여 식을 만들고, 바르게 계산한 값을 구하세요.

어떤 수를 7로 나누어야 할 것을 잘못하여 6으로 나누었더니 몫이 13이고, 나머지가 2였습니다. 바르게 계산하면 몫과 나머지는 각각 얼마일까요?

잘못된 계산 : $☐ \div 6 = 13 \cdots 2$, $☐ = 6 \times 13 + 2 = 80$

바른 계산 : $80 \div 7 = 11 \cdots 3$

11 · 3

어떤 수를 8로 나누어야 할 것을 잘못하여 3으로 나누었더니 몫이 23이고, 나머지가 1이었습니다. 바르게 계산하면 몫과 나머지는 각각 얼마일까요?

잘못된 계산 : $☐ \div 3 = 23 \cdots 1$, $☐ = 3 \times 23 + 1 = 70$

바른 계산 : $70 \div 8 = 8 \cdots 6$

8 · 6

어떤 수를 2로 나누어야 할 것을 잘못하여 9로 나누었더니 몫이 10이고, 나머지가 7이었습니다. 바르게 계산하면 몫과 나머지는 각각 얼마일까요?

잘못된 계산 : $☐ \div 9 = 10 \cdots 7$, $☐ = 9 \times 10 + 7 = 97$

바른 계산 : $97 \div 2 = 48 \cdots 1$

48 · 1

70 소마셈 – C4

빈칸에 알맞은 수를 써넣으세요.

```
     2 4          3 6          7 6
5 ) 1 2 0    6 ) 2 1 6    2 ) 1 5 2
    1 0          1 8          1 4
    2 0          3 6          1 2
    2 0          3 6          1 2
      0            0            0

     5 7          2 6          3 7
3 ) 1 7 1    4 ) 1 0 4    3 ) 1 1 1
    1 5            8            9
    2 1          2 4          2 1
    2 1          2 4          2 1
      0            0            0

     4 3          4 9          4 5
4 ) 1 7 2    5 ) 2 4 5    8 ) 3 6 0
    1 6          2 0          3 2
    1 2          4 5          4 0
    1 2          4 5          4 0
      0            0            0
```

72 소마셈 – C4

빈칸에 알맞은 수를 써넣으세요.

```
     4 7          3 5          4 4
6 ) 2 8 2    9 ) 3 1 5    8 ) 3 5 2
    2 4          2 7          3 2
    4 2          4 5          3 2
    4 2          4 5          3 2
      0            0            0

     9 5          5 6          5 7
3 ) 2 8 5    3 ) 1 6 8    7 ) 3 9 9
    2 7          1 5          3 5
    1 5          1 8          4 9
    1 5          1 8          4 9
      0            0            0

     5 5          9 2          9 8
5 ) 2 7 5    7 ) 6 4 4    4 ) 3 9 2
    2 5          6 3          3 6
    2 5          1 4          3 2
    2 5          1 4          3 2
      0            0            0
```

Drill – 보충학습 73

각 자리의 위치를 맞추어 빈칸에 알맞은 수를 써넣으세요.

```
     7 3          5 3          9 7
2 ) 1 4 6    5 ) 2 6 5    2 ) 1 9 4
    1 4          2 5          1 8
      6          1 5          1 4
      6          1 5          1 4
      0            0            0

     4 9          3 5          3 4
7 ) 3 4 3    9 ) 3 1 5    8 ) 2 7 2
    2 8          2 7          2 4
    6 3          4 5          3 2
    6 3          4 5          3 2
      0            0            0

     6 6          9 3          6 6
6 ) 3 9 6    4 ) 3 7 2    8 ) 5 2 8
    3 6          3 6          4 8
    3 6          1 2          4 8
    3 6          1 2          4 8
      0            0            0
```

74 소마셈 – C4

각 자리의 위치를 맞추어 빈칸에 알맞은 수를 써넣으세요.

```
     3 4          8 6          6 5
5 ) 1 7 0    3 ) 2 5 8    4 ) 2 6 0
    1 5          2 4          2 4
    2 0          1 8          2 0
    2 0          1 8          2 0
      0            0            0

     2 3          5 6          2 9
7 ) 1 6 1    2 ) 1 1 2    8 ) 2 3 2
    1 4          1 0          1 6
    2 1          1 2          7 2
    2 1          1 2          7 2
      0            0            0

     2 2          5 2          3 4
9 ) 1 9 8    5 ) 2 6 0    7 ) 2 3 8
    1 8          2 5          2 1
    1 8          1 0          2 8
    1 8          1 0          2 8
      0            0            0
```

Drill – 보충학습 75

정답 **105**

2주차 (세 자리 수)÷(한 자리 수) (2)

P 76 ~ 77

빈칸에 알맞은 수를 써넣으세요.

```
      3 6              5 7              9 3
3 ) 1 1 0        5 ) 2 8 7        2 ) 1 8 7
    9                2 5              1 8
    2 0              3 7                7
    1 8              3 5                6
      2                2                1

      8 8              7 2              4 4
8 ) 7 1 1        4 ) 2 9 1        7 ) 3 1 4
    6 4              2 8              2 8
    7 1              1 1              3 4
    6 4               8              2 8
      7               3              6

      5 6              6 3              6 3
9 ) 5 1 2        8 ) 5 1 0        6 ) 3 8 1
    4 5              4 8              3 6
    6 2              3 0              2 1
    5 4              2 4              1 8
      8               6              3
```

빈칸에 알맞은 수를 써넣으세요.

```
      9 4              4 5              2 7
4 ) 3 7 7        7 ) 3 2 1        4 ) 1 1 1
    3 6              2 8              8
    1 7              4 1              3 1
    1 6              3 5              2 8
      1               6              3

      2 7              3 3              4 5
8 ) 2 2 3        3 ) 1 0 1        9 ) 4 1 2
    1 6              9              3 6
    6 3              1 1              5 2
    5 6               9              4 5
      7               2              7

      7 7              5 9              3 2
8 ) 6 2 3        9 ) 5 3 8        6 ) 1 9 6
    5 6              4 5              1 8
    6 3              8 8              1 6
    5 6              8 1              1 2
      7               7              4
```

2주차

P 78 ~ 79

각 자리의 위치를 맞추어 빈칸에 알맞은 수를 써넣으세요.

```
        5 6              1 7              2 3
4 ) 2 2 7        6 ) 1 0 5        9 ) 2 1 1
    2 0                6              1 8
    2 7              4 5              3 1
    2 4              4 2              2 7
      3                3              4

        7 6              2 6              3 7
7 ) 5 3 3        8 ) 2 1 3        6 ) 2 2 3
    4 9              1 6              1 8
    4 3              5 3              4 3
    4 2              4 8              4 2
      1                5              1

        4 0              4 8              3 6
5 ) 2 0 2        7 ) 3 4 2        3 ) 1 1 0
    2 0              2 8                9
      2              6 2              2 0
      0              5 6              1 8
      2                6              2
```

각 자리의 위치를 맞추어 빈칸에 알맞은 수를 써넣으세요.

```
        8 3              2 7              6 6
6 ) 5 0 3        9 ) 2 5 1        3 ) 2 0 0
    4 8              1 8              1 8
    2 3              7 1              2 0
    1 8              6 3              1 8
      5                8              2

        1 6              3 9              8 4
7 ) 1 1 4        6 ) 2 3 8        4 ) 3 3 7
    7                1 8              3 2
    4 4              5 8              1 7
    4 2              5 4              1 6
      2                4              1

        7 9              7 7              8 5
3 ) 2 3 8        8 ) 6 2 3        7 ) 6 0 0
    2 1              5 6              5 6
    2 8              6 3              4 0
    2 7              5 6              3 5
      1                7              5
```

3주차 · 규칙과 나눗셈

빈칸에 알맞은 수를 써넣으세요.

```
    45              73              75
5)226           3)220          6)453
  20              21              42
   26              10              33
   25               9              30
    1               1               3

    85              28              58
9)772           7)198          8)464
  72              14              40
   52              58              64
   45              56              64
    7               2               0

    96              66              23
2)192           5)334          9)210
  18              30              18
   12              34              30
   12              30              27
    0               4               3
```

빈칸에 알맞은 수를 써넣으세요.

```
    69              88              76
2)138           4)352          7)536
  12              32              49
   18              32              46
   18              32              42
    0               0               4

    66              65              67
9)601           8)526          6)407
  54              48              36
   61              46              47
   54              40              42
    7               6               5

    99              65              57
7)695           8)527          3)173
  63              48              15
   65              47              23
   63              40              21
    2               7               2
```

3주차

다음 식에서 같은 도형은 같은 수를, 다른 도형은 서로 다른 수를 나타냅니다. 식을 보고 도형이 나타내는 알맞은 수를 찾아 □ 안에 써넣으세요.

36 ÷ ○ = 3 ○ × ■ = 96 16 ÷ ■ = 2	99 ÷ ○ = 11 45 ÷ ○ = ■ 20 ÷ ■ = 4
104 ÷ ○ = 8 13 × ■ = ○ 59 × ■ = 59	138 ÷ ○ = 6 ○ × ■ = 46 68 ÷ ■ = 34
48 ÷ ○ = 12 116 ÷ ○ = ■ 3 × ■ = 87	60 ÷ ■ = 5 ○ × ■ = 72 ○ × 14 = 84

다음 식에서 같은 도형은 같은 수를, 다른 도형은 서로 다른 수를 나타냅니다. 식을 보고 도형이 나타내는 알맞은 수를 찾아 □ 안에 써넣으세요.

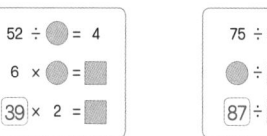
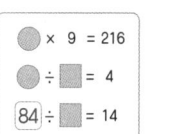
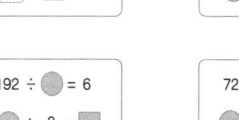
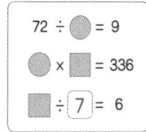

52 ÷ ○ = 4 6 × ○ = ■ 39 × 2 = ■	75 ÷ ○ = 5 ○ ÷ ■ = 5 87 ÷ ■ = 29
○ × 9 = 216 ○ ÷ ■ = 4 84 ÷ ■ = 14	62 ÷ ■ = 31 ○ × ■ = 72 ○ × 7 = 252
192 ÷ ○ = 6 ○ ÷ 8 = ■ 6 × ■ = 24	72 ÷ ○ = 9 ○ × ■ = 336 ■ ÷ 7 = 6

정답

4주차 (drill) 나눗셈식의 활용

P 84 ~ 85

다음과 같이 도형이 규칙적으로 배열되어 있습니다. 조건에 맞는 도형을 찾을 수 있는 나눗셈식을 쓰고, 알맞은 도형을 그리세요.

식 : $23 \div 3 = 7 \cdots 2$ 23번째 도형 ☐

식 : $46 \div 4 = 11 \cdots 2$ 46번째 도형 ◯

식 : $39 \div 4 = 9 \cdots 3$ 39번째 도형 ◇

식 : $66 \div 5 = 13 \cdots 1$ 66번째 도형 ◇

다음과 같이 도형이 규칙적으로 배열되어 있습니다. 조건에 맞는 도형을 찾을 수 있는 나눗셈식을 쓰고, 알맞은 도형을 그리세요.

식 : $19 \div 4 = 4 \cdots 3$ 19번째 도형 △

식 : $33 \div 4 = 8 \cdots 1$ 33번째 도형 ☐

식 : $53 \div 3 = 17 \cdots 2$ 53번째 도형 ☆

식 : $71 \div 6 = 11 \cdots 5$ 71번째 도형 ♡

84 소마셈 - C4

Drill - 보충학습 85

4주차 (drill)

P 86 ~ 87

다음 글을 읽고, 두 도형의 한 변의 길이의 차를 구해보세요.

둘레가 39cm인 정삼각형과 둘레가 60cm인 정오각형이 있습니다. 두 도형의 한 변의 길이의 차는 몇 cm일까요?

① 정삼각형의 한 변의 길이 = $39 \div 3 = 13$ cm

② 정오각형의 한 변의 길이 = $60 \div 5 = 12$ cm

③ 두 도형의 한 변의 길이의 차 = $13 - 12 = 1$ cm

둘레가 54cm인 정삼각형과 둘레가 64cm인 정사각형이 있습니다. 두 도형의 한 변의 길이의 차는 몇 cm일까요?

① 정삼각형의 한 변의 길이 = $54 \div 3 = 18$ cm

② 정사각형의 한 변의 길이 = $64 \div 4 = 16$ cm

③ 두 도형의 한 변의 길이의 차 = $18 - 16 = 2$ cm

다음 글을 읽고, 두 도형의 한 변의 길이의 차를 구해보세요.

둘레가 51cm인 정삼각형과 둘레가 48cm인 정사각형이 있습니다. 두 도형의 한 변의 길이의 차는 몇 cm일까요?

식 : $51 \div 3 = 17$, $48 \div 4 = 12$, $17 - 12 = 5$ 답 : 5cm

둘레가 92cm인 정사각형과 둘레가 85cm인 정오각형이 있습니다. 두 도형의 한 변의 길이의 차는 몇 cm일까요?

식 : $92 \div 4 = 23$, $85 \div 5 = 17$, $23 - 17 = 6$ 답 : 6cm

둘레가 75cm인 정삼각형과 둘레가 114cm인 정육각형이 있습니다. 두 도형의 한 변의 길이의 차는 몇 cm일까요?

식 : $75 \div 3 = 25$, $114 \div 6 = 19$, $25 - 19 = 6$ 답 : 6cm

둘레가 120cm인 정오각형과 둘레가 45cm인 정삼각형이 있습니다. 두 도형의 한 변의 길이의 차는 몇 cm일까요?

식 : $120 \div 5 = 24$, $45 \div 3 = 15$, $24 - 15 = 9$ 답 : 9cm

86 소마셈 - C4

Drill - 보충학습 87

Note

Note